KB183582

# M-Payment
# 모바일 결제의 모든것

# M-Payment
# 모바일 결제의 모든 것

BC카드 기획
장석호 · 이지호 · 성기윤 · 오재민 지음

"모바일 카드가 가져다줄 변화는 무엇인가?"

# 모바일 서비스를 통해 열어갈 신용카드 3.0시대

바야흐로 신용카드 3.0시대가 도래하고 있다. 신용카드가 단순히 현금결제의 대체 수단이던 시기가 신용카드 1.0시대이고 상품과 서비스를 놓고 경쟁하는 지금의 시기가 2.0시대이다. 그렇다면 3.0시대는 무엇일까? 키워드는 모바일이다. 모바일 환경을 기반으로 고객들이 카드 발급부터 사용과 혜택에 이르기까지 실시간으로 최적의 서비스를 받는 시대를 말한다.

2013년 기준으로 전 세계 스마트폰 보급률이 22퍼센트에 이른다고 한다. 이 수치는 전 세계인이 PC보다 스마트폰을 더 많이 갖고 있다는 것을 의미한다. 게다가 대한민국은 IT 강국답게 스마트폰 보급률 67.6퍼센트로 세계 1위를 차지하고 있다. 이제 모바일이 전 세계인의 삶에 혁명적인 변화를 일으켰고 급속도로 우리의 생활을 지배하고 있다. 길을 걷는 사람들 속에서도, 카페에서 이야기를 나누는 사람들 속에서도, 회사에서 일하는 사람들 속에서도 어디서나 스마트폰과 함께하는 모습을 흔히 볼 수 있다. 그런 흐름에 맞춰 지급결제 수단인 모바일 카드 역시 급신장을 하고 있다.

모바일 카드는 그동안 사용해왔던 플라스틱 카드와는 달리 고객이 필요한 카드를 배송기간 없이 심사 즉시 발급받을 수 있다. 그뿐만 아니라 지갑에 복수의 카드를 넣어 다니는 불편함 대신 모바일 지갑에 넣어 편리하게 꺼내 쓸 수 있다. 모바일 환경을 기반으로 한 신용카드 3.0시대에는 아무리 많은 신용카드, 멤버십 카드, 할인 쿠폰도 모두 스마트폰에 넣고 다닐 수가 있어 편의성이 극대화된다. 또한 스마트폰의 위치정보 GPS 기능과 연동하면 해당 지역 가맹점의 할인 정보와 쿠폰을 추천받아서 사용할 수 있는 최고의 사용자 경험User Experience을 받을 수 있다.

이렇게 모바일 카드 시장이 급신장하면서 카드발급, 보안, 마케팅 등 관련 솔루션을 개발하거나 판매하는 주변 산업도 발전하고 있다. 이런 상황에 비해 모바일 결제에 대해 체계적으로 정리해 놓은 서적이 없다. 그래서 모바일 결제의 선두주자 BC카드가 누구나 쉽게 읽고 이해할 수 있는 책을 출간하기로 했다.

이 책에는 비즈니스 현장에 있는 모바일 결제 분야의 전문가들이 직접 고민하고 연구하고 실행해가면서 얻은 모든 것들이 담겨 있다. '제1장 모바일 결제란 무엇인가'는 지불결제연구소 장석호 소장, '제2장 모바일 카드 규격'은 모바일카드개발팀 이지호 팀장, '제3장 모바일 결제 솔루션'은 컨버전스사업팀 성기윤 팀장, '제4장 모바일 결제 인프라 제언'은 모바일영업팀 오재민 과장이 썼다. 모바일카드의 역사부터 개발, 모바일 결제 솔루션, 앞으로의 발전 방향에 이르기까지 누구나 쉽게 읽을 수 있는 내용으로 기술되었다.

이 책의 출간을 계기로 모바일 결제에 대한 연구 분위기가 더욱 성숙하고 촉진되기를 기대한다. 또한 산업 종사자들과 모바일 결제에 관심 있는 모든 사람에게 좋은 안내서가 되길 희망한다.

2014. 1. 2

BC카드 사장 이강태

Contents

## 제2장 모바일 카드 규격

## 제3장 모바일 결제 솔루션

지금 세계적인 스마트폰의 보급 속도는 우리로 하여금 다시 모바일 결제의 시대가 열린 것인가에 호기심을 갖게 한다. 세계 전역에서 보고되는 모바일 결제의 실적은 분명 이전과는 다름을 알 수 있다. 국내에서도 2011년부터 서서히 변화의 조짐이 감지됐다. 휴대전화 상에서의 모바일 인터넷 결제와 휴대전화를 이용하는 오프라인 가맹점 결제 건수에서도 뚜렷한 증가세를 보이고 있다.

제1장

# 모바일 결제란 무엇인가

# 01 모바일 카드의 역사

우리는 1990년대부터 경험한 IT 관련 산업의 무서운 성장을 경험한 바 있다. 많은 사람이 신생 인터넷 검색엔진 광고회사의 주가가 제조산업(소위 굴뚝산업)보다 웃도는 것을 보고 충격을 받은 바 있다. 우리는 2000년 초반부터 밀려오기 시작하는 모바일의 파도를 두고 그 영향력의 크기와 범위에 대해 많은 기대를 한 것이 사실이다. 그러나 매년 받아보는 성적표는 매우 형편없는 수준이다. 활성화하려면 고객의 경험이 누적돼야 하므로 2~3년 정도 더 필요할 것으로 보는 관측이 반복됐다.

물론 그간 우리에게 큰 희망을 품게 했던 사건도 있었다. 2000년 국내 이동통신사의 모네타, 뱅크온, K-머스 등의 사업 추진과 주요 가맹점에 동글(Dongle, 컴퓨터의 입출력 접속구에 연결되는 장치로 특정 프로그램의 복사나 실행 시 인가된 사용자만이 사용할 수 있도록 보안키나 ID를 저장한 장치) 인프라를 경쟁적으로 설치하던 2005년 이전 시기는 전자금융의 새로운 시대를 맞이하는 듯 보였다. 2006년 이후에는 이웃 나라 일본에서 교통카드인 스이카Suica가 활성화되고 모바일 결제 인프라가 보급되면서 대표적인 벤치마킹의 대상이 되기도 했다.

많은 개발비와 사업비에 대한 투자가 이루어졌다. 하지만 전자금융의 패러다임을 바꿀 만한 변화는 관측되지 않았다. 사업 담당자들조차도 자조적인 의견을 서슴없이 피력했다. 그러던 와중에 플라스틱 카드가 주는 품격과 편리성에 대해 설명하면서 모바일 카드는 대세가 될 수 없고 플라스틱 카드의 시대는 앞으로도 계속될 것이라는 의견이 자주 제시됐다. 과연 모바일 결제 사업 실패의 원인이 기술적인 미성숙에 있었던 것인지, 아니면 고객의 특성을 고려하지 않은 서비스 전개에 있었던 것인지 의문만 쌓여갔다.

〈뱅크온 서비스〉

〈모네타 서비스〉

지금 세계적인 스마트폰의 보급 속도는 우리로 하여금 다시 모바일 결제의 시대가 열린 것인가에 호기심을 갖게 한다. 세계 전역에서 보고되는 모바일 결제의 실적은 분명 이전과는 다름을 알 수 있다. 국내에서도 2011년부터 서서히 변화의 조짐이 감지됐다. 휴대전화 상에서의 모바일 인터넷 결제와 휴대전화를 이용하는 오프라인 가맹점 결제 건수에서도 뚜렷한 증가세를 보이고 있다.

2012년도에 들어서도 그 움직임은 계속되고 있다. 아직 공식적인 집계는 발표되지 않았지만 분기별로 거래 건수와 금액에서 뚜렷한 증가세를 보이고 있다. 금융소비자의 움직임을 예상하기란 대단히 어려운 일이어서 속단하기엔 이르다. 하지만 모바일 카드의 본격적인 활성화 시대가 문 앞에 있다고 말해도 좋을 것이다. 우리는 이제 그때를 위한 본격적인 준비를 해야 하지 않을까?

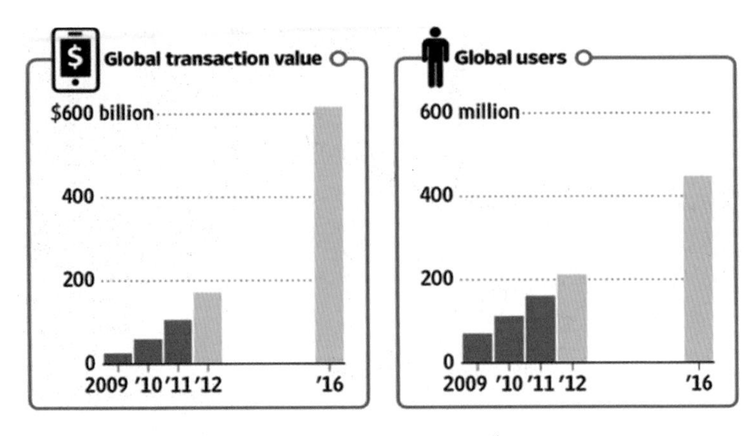


〈전 세계 모바일 결제시장 규모와 이용자 수 추이 및 전망〉(출처 Gartner, Strabase)

# 02 모바일 카드의 개념

나는 모바일 카드의 차별성에 대해 금융소비자와 업계 관계자의 다양한 의견을 들어왔다. 모바일 카드는 분명 플라스틱 카드와는 여러 면에서 차이가 있다. 그리고 많은 부분에 차별적 장점이 있는 것으로 알려졌다. 모바일 카드가 갖는 차별적 장점으로 어떤 것들이 있는지 정리하는 것은 모바일 카드를 이해하고 앞으로 전자금융의 한 흐름이 될 수 있는지를 판단하는 데 큰 도움을 줄 수 있으리라 생각한다.

### 모바일 카드는 통합 개인금융의 관리적 편의성을 제공한다

모바일 카드의 차별적 장점 중 가장 대표적인 것은 관리의 편의성이다. 휴대전화에 디지털 형식으로 발급해 전자지갑에서 통합 관리하는 모바일 카드는 그 자체로 여러 가지 혁신적 편의성을 제공하게 된다. 휴대전화는 필수 휴대품목에 반드시 포함되는 항목이다. 따라서 휴대전화에 전자지갑이 있어 지갑기능을 대신하면 휴대할 항목이 줄어들게 된다. 여러 장의 신용카드와 체크카드 그리고 많은 멤버십 카드가 하나의 전자지갑에서 통합 관리되는 것이다.

단순히 정보를 통합 저장하는 것이 대표적인 특장점이라고 말할 수는 없다. 금융정보이기 때문에 정보를 저장할 특별한 구조와 체계가 필요했다. 그리고 마침 휴대전화가 그 요건을 만족하기 때문에 가능한 것이다. 휴대전화에 포함된 가입자 인증 모듈인 유심USIM, Universal Subscriber Identity Module은 보안매체로서 국제규격[1]을 만족하는 동시에 그 자체로 독립적인 전산처리가 가능하며 전자금융에서 필수적인 하드웨어 기반의 암호화 연산처리[2]가 가능한 특징을 가지고 있다. 유심과 같은 IC칩은 제조단계에서부터 보안 키를 관리하는 체계를 가지고 있어 전자금융 서비스의 보안 요건을 모두 충족하고 있다. 더군다나 유심은 휴대전화 가입자를 기준으로 하나만 있다. 따라서 금융회사별로 또는 상품별로 별도의 플라스틱 카드 형식으로 발급되던 카드가 하나의 매체에 통합 발급하게 된 것이다.

휴대전화의 유심이라는 매력적인 보안매체의 기본기능인 무선통신기능을 활용해 소위 OTAOver The Air 원격 발급 서비스를 하게 된 것이다. 스마트폰에서 제공되는 직관적인 UI는 처리결과를 조회하는 것뿐만 아니라 전자금융의 처리과정에 사용자를 참여시키

〈전자지갑〉

는 수준에까지 이르게 했다.

모바일 카드의 관리적 편의성은 휴대전화에 여러 장의 플라스틱 신용카드 번호를 단순히 저장하는 것을 의미하지 않는다. 금융상품의 보안 수준을 낮추지 않으면서 여러 금융회사의 다양한 금융상품을 단일체계에서 고객에게 통제권을 주는 방식으로 변화하는 현상을 말하는 것이다. 우리는 모바일 전자금융의 혁신이라고 한다. 지극히 고객중심으로 진화하는 개인금융 시대의 방향성을 보아야 할 것이다.

### 모바일 카드는 안전한 전자금융 서비스이다

일반인을 대상으로 설문조사를 해보면 뜻밖에도 모바일 카드의 보안 안정성에 대해 부정적 인식을 하고 있다. 휴대전화 분실이나 금융정보 유출을 염려하는 것으로 보인다. 그래서 꼭 필요한 경우에 한해 한 장의 카드만 발급받겠다는 사용자도 있다. 그러나 모바일 카드는 플라스틱 카드보다도 더욱 안전한 금융상품이다.

모바일 카드가 보안매체인 유심에 발급된다는 것은 앞서 이미 언급한 바 있다. 타인의 휴대전화를 훔치고 전문가가 특수한 장비로 분석하면 모를까 일반인이 유심에서 금융정보에 접근하는 것은 불가능한 일이다.[3] 모바일 카드의 진가는 분실했을 때 발휘된다. 우리가 지갑을 분실했을 때 타인의 카드 사용을 막기 위해 최대한 빨리 신용카드사에 전화해 분실신고를 한다. 물론 지갑에 보관 중이던 신용카드 리스트를 다 기억하고 있어야 할 것이다.

그러나 모바일 카드는 그러한 걱정을 하지 않아도 된다. 분실신고 전화 한 통화로 전자지갑에 발급한 모든 신용카드를 원격 일괄 잠그는 것이 가능하기 때문이다.[4] 사실 이 경우 휴대전화를 분실했으므로 이동통신사에 전화할 것이고 휴대전화의 도난신고로 말미암은 착발신 정지 서비스를 할 때 모바일 카드도 자동잠금 상태로 조치하면 금상첨화일 것이다.

플라스틱 카드에서는 찾아볼 수 없는 기능이다. 모바일 카드이기에 실물이 없지만, 더 강한 금융보안기능을 제공하는 것이다. 하지만 아직은 기술적인 완성도가 낮거나 금융회사와 이동통신사의 협력체계가 이루어지지 못하는 등 일반 금융소비자에게 크게 어필하지 못하는 면이 있다.

모바일 카드는 자기 주도형 금융소비자에게 적합한 서비스이다. 모바일 카드의 자기 주도적인 측면은 초기에는 오히려 플라스틱 카드보다 불편하다는 생각을 들게 할 수도 있다. 플라스틱 카드는 대부분 타인이 처리해주며 금융고객 본인은 플라스틱 카드를 잘 보관하는 책임만 지면 됐다. 그에 반해 모바일 카드는 금융고객이 스스로 처리해야 할 부분이 여러 가지 있어 뚜렷한 사용상의 특징을 보이고 있다.

두 가지 종류의 카드[5]는 발급절차에서부터 큰 차이를 보여준다. 플라스틱 카드는 자필서명을 해 카드 신청을 하면 등기우편을 통해 배송해준다. 반면 모바일 카드는 휴대전화에 애플리케이션을 설치하고 모바일 카드의 발급과정을 스스로 수행해야 한다. 모바일 카드의 발급과정에서는 공인인증서를 제출한다든지 본인 확인 인증의 여러 단계를 밟아야 한다. 플라스틱 카드는 비록 일주일 정도의 긴 시간이 필요하지만 신청인이 해야 할 일이 별로 없다. 반면 모바일 카드는 익숙지 않은 정보통신 기기를 가지고 종종 발생하기도 하는 오류사항을 감내하면서 자력으로 수행해야 한다. 휴대전화 애플리케이션 경험이 많은 사용자라면 바로 발급해 사용할 수 있는 모바일 카드를 선호할 수도 있을 것이다.

발급뿐만 아니라 사용할 때에도 모바일 카드는 플라스틱 카드와는 큰 차이점을 가지고 있다. 모바일 카드는 결제할 때 카드를 점원에게 건네주지 않는다. 구매자가 스스로 본인의 동글에 휴대전화를 근접시켜 결제한다. 과거에 주유소 등에서 플라스틱 카드를 건네주는 과정에서 불법적인 카드 위조사고가 빈번히 발생한 바 있다. 아직 결제경험이 부족한 금융소비자는 NFC 방식의 구매자 직접 결제방식이 휴대전화 RF Radio Frequency 감도가 낮고 결제 인증 방식이 다르다는 등의 여러 이유로 어려움을 겪기도 했다. 그러나 금융정보 유출을 우려하는 사용자에게는 적어도 NFC 직접방식이 안전한 결제라고 느끼게 하는 면이 있는 것이다.

사실 과거에는 신용카드가 이용자의 신분을 나타내는 수단으로 인식돼 가맹점의 직원은 결제와 기타 모든 절차를 수행하고 고객은 서명만 하면 됐다. 그러나 모바일 카드는 품격 있는 디자인의 외형을 타인에게 보여주기도 쉽지 않고 본인이 휴대전화를 동글에 근접시켜 결제처리를 하므로 구매자의 품격을 나타내는 것과는 거리가 있다. 이처럼 플라스틱 카드와 모바일 카드는 여러 면에서 다

〈모바일 카드의 본인 직접결제〉

른, 아니 서로 반대성향의 고객집단을 대상으로 하는 다른 결제수단으로 보아야 하지 않는가에 대한 의견이 있다.

#### 모바일 카드에는 즉시성의 특징이 있다

또 다른 측면에서 모바일 카드가 주는 편익은 즉시성이라고 할 수 있다. 현대인에게 관찰되는 큰 현상이기도 한 즉시성은 금융생활에서도 기대되는 기능이라고 할 수 있다. 모바일 카드는 카드 발급을 위해 은행지점의 영업시간을 기다릴 필요 없이 원하는 시간에 언제든지 즉시 발급해 사용할 수 있다.

해지 신청 또한 자력으로 휴대전화 애플리케이션을 통해 할 수 있다. 동시에 해당 신용카드 상품은 신용카드 회사의 서버에서도 사용정지 상태가 된다. 일반적으로 플라스틱 카드는 5년의 긴 유효기간에 걸쳐 사용하지만 모바일 카드는 필요하면 언제든지 발급받아 사용할 수 있고 해지하는 것도 간편하므로 짧은 주기성을 가지고 많은 발급 좌수의 실적을 보일 것으로 예상한다.

보통 플라스틱 카드는 발급되고 6개월 이후부터 사용실적이 증가하기 시작하며 1년이 됐을 때는 30퍼센트의 고객만 계속 사용하는 현상을 보이고 있어 마케팅과 관계된 여러 가지 시간 지연 효과Time Delay Effect on Marketing가 존재하는 것이 사실이다. 모바일 카드는 플라스틱 카드보다 훨씬 짧은 6개월 정도의 주기를 갖되 발급 직후부터 높은 사용실적을 보일 가능성이 있다고 할 수 있다.

### 모바일 카드와 플라스틱 카드는 다른 결제수단이다

모바일 카드는 분명히 다른 결제수단이며 기존 결제수단과는 크게 나뉘는 뚜렷한 차이점이 존재한다. 이러한 모바일 카드의 특징을 잘 이해하고 그 강점을 살리는 방향으로 서비스를 전개해 나간다면 고객에 대한 서비스 수용도는 크게 높아지고 확산 속도가 급증할 것으로 생각한다.

그러나 대개 기능과 관련이 있는 모바일 카드의 이러한 장점이 기술적인 장애 탓에 고객의 수인한계를 넘어 실망을 안겨주는 경우가 많이 있었다. 스마트폰과 교통카드의 예에서 보듯 미성숙한 기술이 완비되면 고객은 수용할 준비가 돼 있고 고객의 전자금융 라이프 스타일은 급속히 변화할 수 있다고 본다.

### 모바일 결제와 모바일 카드는 과연 무엇이 다른가?

2013년 이후 다양한 모바일 결제방식이 시장에 소개되고 있다. 모바일 결제의 정의를 휴대전화를 이용한 결제방식이라고 한다면 모바일 카드는 그 중 하나에 불과하며 적어도 10여 종의 결제방식이 국내시장에서도 상용화되고 있다. 그래서 모바일 결제를 분류하는 기준에 대해서도 여러 의견이 있었다.

"유심 방식인가?"는 가장 흔하게 사용되는 기준이다. "온라인·오프라인 가맹점에서 사용되는가?" 역시 자주 이용되는 것이다. 초기에는 오프라인 가맹점 결제가 중요한 부분이었는데 모바일 인터넷몰에서의 결제실적이 크게 신장하면서 모바일 결제시장을 양분하기에 이르렀다.

〈간편 결제 유비페이 서비스〉

최근에는 NFC[6] 기능을 탑재한 휴대전화가 보급되면서 모바일 결제의 활성화를 이끄는 힘으로 작용하기 때문에 모바일 결제가 NFC와 같은 단어로 이해하는 사용자도 많은 것을 알 수 있다. 그 밖에 모바일 결제에 사용되는 기기 중심으로 직관적인 분류를 하기도 한다. 예를 들어 '바코드를 이용한 결제' 'QR 코드를 이용한 카메라 결제' '음성신호 발생장치에 의한 결제' '플라스틱 카드를 결제하는 별도 장치를 이용한 결제' 등의 식이다.

내가 모바일 결제를 분류하는 기준은 '그 자체로 독립적인 결제 수단인지 또는 플라스틱 카드의 일부 정보를 활용한 것인지'이다. 금융에 관계된 모바일 카드[7]는 모두 고유의 번호를 부여받고 발급부터 폐기에 이르기까지 독립적인 금융상품이다. 플라스틱 카드와 같은 물리적 매체는 없지만 유심과 같은 보안매체에 플라스틱 카드의 IC칩에 기록된 발급 데이터가 같은 수준으로 생성돼 발급센터의 엄격한 발급절차와 기준에 따르고 있다.

반면 그 외의 모바일 결제방식은 하나의 플라스틱 카드가 다른 여러 매체방식으로 동시에 이용된다고 볼 수 있다. 가령 어떤 서비스 방식을 새로이 만들고 등록된 플라스틱 카드를 신규 서비스 방식으로 결제할 때 결제 비밀번호로 인증하는 식이다. 결제과정에서 비밀번호를 일회성으로 한다든지, 문자 메시지로 수신한다든지 등에 관한 약간의 변형이 있을 뿐 그 기준을 크게 벗어나지 않는다.

사실 이러한 모바일 결제방식은 금융고객의 구매의사를 확인해 결제수단을 지정하는 것에 불과하고 지급거래가 성립하기 위해서는 원 플라스틱 카드에 의한 승인 시스템의 처리가 반드시 수반돼야 한다. 여기서 꼭 지적하고 싶은 사항은 모바일 카드 방식 외의 모바일 결제는 신용카드사에서 반드시 모니터링할 수 있는 체계를 갖추어야 한다는 것이다. 플라스틱 카드가 다른 여러 방식으로 복제돼 무분별하게 사용될 때 금융보안이 취약해질 가능성은 매우 높다고 볼 수밖에 없기 때문이다. 아무리 모바일 결제가 주는 편의성이 높다고 하더라도 금융위험을 감수하면서까지 거래할 고객과 금융회사는 없을 것이다.

모바일 카드는 이동통신사와의 원활한 협업이 이루어져야 하는 부분과 보안기술의 엄격한 절차에 따른 기능적 장애를 극복할 수

밖에 없는 숙명을 타고났다. 이런 굴레를 짊어진 상태에서 앞서 말한 모바일 결제 기술과의 편의성 면에서 경쟁을 하고 있으니 불리할 수밖에 없다. 모바일 카드의 기술적인 보완을 시급히 하는 것이 앞으로 발생할 수도 있는 금융혼란을 예방할 수 있는 솔루션 중의 하나라고 할 수 있다.

### 모바일 카드가 가져다줄 변화는 무엇인가?

만일 모바일 카드가 플라스틱 카드와 다르다면 그것이 금융산업에 주는 영향이 다소 있지 않겠는가 생각한다. 모바일 카드를 자세히 살펴보면 마케팅 비용이 상당히 줄어들 개연성이 있다는 걸 알 수 있다. 모바일 카드가 활성화돼 자력으로 휴대전화 애플리케이션에서 발급받아 사용한다면 금융상품의 권고와 가입신청 접수를 위한 모집인 비용을 줄일 수도 있다.

플라스틱 신용카드에서 RF 방식으로 결제하려면 고가의 카드 제작비용이 소요되는 데 비해 모바일 카드에서는 휴대전화의 NFC 기능과 유심을 사용하기 때문에 카드 플랫폼을 위한 비용 부담이 없다. 발급된 카드를 전달할 때도 등기우편 방식으로 하는 플라스틱 카드보다 모바일 카드는 무선통신 방식으로 전송하는 것이 가능하여 비용상의 이점이 있다.

업계에서는 모바일 카드가 발급 관련 특허비용을 내야 하는 어려움과 모바일 카드를 발급하기 위해서는 플라스틱 카드가 선발급 또는 동시 발급돼야 하는 점을 들어 비용 절감에 부정적 의견을 보이기도 한다. 그러나 지엽적인 문제에만 집중해보고 큰 흐름을 읽어내지 못한다면 금융산업의 미래를 잘못된 방향으로 예측하는 심각한 우를 범할 수도 있다.

### 인터넷 뱅킹에서의 전자금융의 변화를 읽어야 한다

모바일 카드가 금융업계에 주는 영향을 은행의 인터넷 뱅킹 내지는 모바일 뱅킹에서 찾을 수 있다. 국내 은행업계는 인터넷 뱅킹의 영향으로 큰 변화를 겪었다. 은행지점을 방문한 금융고객을 위해 은행직원은 금융 서비스를 대신 처리해준다. 고객은 번호표를 뽑아 본인의 순서를 기다리며 대기해야 하고 VIP는 별도의 장소에서 바로 업무를 처리할 수도 있다.

인터넷 뱅킹이 도입되고 10년이 지난 지금 국내 은행에는 많은

〈모바일 뱅킹(우리은행)〉

변화가 있었다. 은행지점을 방문하는 사람은 대폭 감소하고 자연스럽게 은행지점 수도 감소하는 추세로 바뀌고 있다. 은행지점을 통한 금융 서비스의 처리는 고비용구조로 점차 감소할 수밖에 없다. 최근에는 모바일 뱅킹을 이용하는 사람의 수가 증가하면서 인터넷 뱅킹 사용자의 상당수가 이전하는 경향을 보이고 있다.

인터넷 뱅킹 또는 모바일 뱅킹에서는 누구나 기다리지 않고 금융업무를 자력으로 처리할 수 있다. 예금 잔액에 따라 금융 서비스의 질이 다를 수 있다는 것이 당연시되던 관행이 일부 무너지고 있다. 금융 서비스에서는 타인이 알아서 해주는 것이 품격 있는 일이라는 생각도 점차 변화하고 있다고 본다.

이런 측면에서 신용카드 등의 결제 서비스는 은행의 지급 서비스에 비해 뒤처져 있는 것으로 보인다. 최소한 1,000만 명 이상으로 추정되는 모바일 뱅킹 사용자보다 카드 결제 서비스의 이용자 수는 수십만 명에 불과하기 때문이다. 제공되는 금융 서비스의 다양함도 아직 비교하기에는 다소 무리가 있다.

사실 신용카드사가 제공하는 인터넷 서비스가 인터넷 뱅킹과 같이 시작됐고 모바일 환경에서도 공존하고 있다. 그러나 은행의 뱅킹은 지급 서비스이고 신용카드는 결제 서비스로 서로 다른 점이 있다는 것은 알아야 한다. 은행의 지급 서비스는 계좌를 중심으로 금융 시스템 내에서만 제공된다. 반면 신용카드의 결제 서비스는 금융권을 벗어나 현실real world의 생활을 반영해야 하므로 고려해야 할 사항이 다르다고 볼 수 있다.

일주일 이상 기다려 받던 플라스틱 카드를 실시간으로 휴대전화에 발급받을 수 있다. 또 매달 종이 우편물 형식으로 오던 청구서와 각종 홍보물을 전자지갑에서 받아볼 수 있다. 휴대전화가 분실되거나 한도의 조정을 해야 하거나 비밀번호를 변경하거나 하는 금융업무의 처리를 위해 ARS 전화 상담원과의 통화를 시도하지 않아도 된다.

개인의 소비생활 스타일에 맞추어 할인쿠폰을 수시로 받게 되고 전자가계부는 본인의 지출에 대한 기본관리와 가이드를 제공한다. 정기적으로 지출하는 각종 고지서를 낼 수 있도록 도움을 줄 수도 있고 모바일 뱅킹과 연계돼 카드대금을 정산하는 것도 쉽게 처리할 수 있다. 쉽게 발급받았던 모바일 카드는 신용카드사 상담원과 통화하지 않아도 언제나 해지할 수 있다.

물론 위의 내용 전부를 현재 국내의 신용카드사가 서비스하고 있다는 것은 아니다. 내가 이야기하는 것은 신용카드사에서는 적어도 위의 모바일 카드 전자금융 시나리오를 구현하고 제공해야 현재의 모바일 뱅킹과 같은 수준에 오르게 된다고 생각한다.

만약 모바일 환경에서 금융고객 자력으로 신용카드 관련 업무를 처리하는 방향으로 모바일 카드 산업이 진화한다면 신용카드 업계에도 변화가 시작될 것으로 본다. 가맹점 수수료 인하의 영향으로 수익성이 악화된 신용카드 업계에서는 운영 효율성을 생각하지 않을 수 없을 것이고 하나의 대응책으로 모바일 카드 서비스를 주요 채널로 채택할 가능성이 있다고 보는 것이다.

우리는 지금 금융소비자가 원하는 모바일 카드 서비스가 과연 무엇인지를 그들에게 들어보아야 한다. 그리고 모바일 카드 서비스

패키지, 즉 전자지갑을 올바르게 구성해야 한다. 이전에 주먹구구식으로 계산했던 모바일 카드의 비용 절감 규모를 카드 업무 전반에 걸쳐 정확히 산정하는 작업은 매우 의미 있을 것으로 생각한다.

나는 전 국민이 스마트폰이라는 마술피리에 매료돼 따라가는 이 호기를 단순한 모바일 결제의 활성화에 사용하고 싶지 않다. 국내의 전자금융 산업이 재도약하고 선진국형 금융 서비스로 탈바꿈하는 계기가 됐으면 한다.

# 03 모바일 결제의 분류

## 최근 이슈

2012년은 모바일 결제의 성장 가능성을 보여주는 긍정적인 움직임이 있었던 해이다. 과거 10년과는 다른 사업자의 접근방식과 고객의 반응이 관측되고 있다. 무엇보다도 모바일 결제를 이끄는 원동력은 NFC 휴대전화기의 보급이다. 과거 어느 때보다도 모바일 결제가 가능한 휴대전화를 보유한 고객의 수가 많다고 할 수 있다. 이러한 급변하는 시장 상황에서 여러 가지 상황과 이슈가 발생하기도 하는데 모바일 결제시장 초기에 선두 주자로서의 선점 효과를 누리려는 사업자의 발 빠른 움직임이 있는 것이 주요 원인이다.

외견상 모바일 결제 분야에서의 가장 눈에 띄는 점은 간편 결제이다. 인터넷 쇼핑몰에서의 결제방식이 모바일 환경에서 사용하기 편리하도록 절차가 단축돼 제공되는 것인데 소비자의 반응이 나쁘지 않다. 간편 결제는 대동소이한 기능의 차이를 가지고 여러 사업자가 시행하고 있다. 대개는 신용카드사와 제휴해 IT 기술회사가 신규 지급결제 영역에 진입을 시도하는 양태이다.

복잡한 절차에 의해 신용카드를 신청하고 어려운 단계를 거쳐 유심에 발급되는 모바일 카드와는 달리 스마트폰 앱만으로 등록하고 결제할 수 있는 간편 결제는 빠른 확산 속도를 갖는 강점이 있다. 대부분의 신용카드사가 모바일 카드 이외에 간편 결제도 제공하면서 시장의 반응을 지켜보고 있다. 간편 결제는 많은 장점이 있으면서도 신규 신용카드를 발급하는 것이 아니고 플라스틱 카드의 일부 정보를 링크하는 방법에 불과하다. 따라서 장기적으로 보았을 때는 주류의 금융 솔루션이 되기에는 한계가 있다고 본다. 단지 과도기에 보조적인 수단의 역할을 하리라고 본다.

국내에서도 수년 후에는 IC카드로 전환하려는 계획을 세워놓고 있다. 간편 결제는 IC카드 발급정보를 저장할 수 없는 구조적인 제한이 있어 도래하는 본격적인 모바일 결제시대에 보안매체로 이루어지는 국내 전자금융 환경에서 지속적으로 생존하기 어렵다고 보는 것이다.

간편 결제 이외에도 언론에 지속해서 노출되는 이슈가 직불형 모바일 결제이다. 정부의 정책지원 속에서 상당한 탄력을 받아 본격적인 사업을 준비 중이다. 2012년 11월에 관련법이 개정되어 모바일 PG업체를 중심으로 상용화가 진행 중이다. 이에 대한 전망은 긍정적인 부분과 부정적인 부분이 혼재하고 있다.

금융결제원을 중심으로 국내 전 은행과 신용카드사가 참여한 마이크로 SD개발 프로젝트도 주목할 만한 사건이다. 이동통신사에 독립적으로 SESecure Element를 마련해 공동으로 서비스하는 안으로서 금융업계에서는 의미 있는 동향으로 보고 있다. 아직은 이를 지원하는 휴대전화가 없어 단말기 확보가 긴급히 요구되나 세계적인 추세로 볼 때 수년 안에 큰 어려움 없이 조달할 수 있을 것으로 본다.

SD 형식 이외에도 임베디드 SE 형식으로 보안매체가 제공되기 시작하기 때문에 유심의 대안이 시장에 본격적으로 출현할 날이 멀지 않은 것으로 보인다. 지급 결제 관련 업계는 이를 큰 변화로 받아들이고 있으므로 앞으로 주의해 관측하고 이에 대한 대응책을 마련해야만 하겠다.

## 다양한 모바일 결제 현황

### ● ● ● 간편 결제

2012년에 발현된 모바일 결제의 가장 큰 특징은 간편 결제 부류의 시장 확산이다. 여러 가지 유사한 방식이 시장에 출시되면서 일반 사용자에게 혼동을 일으키기도 한다. 간편 결제란 모바일 카드와는 다른 결제방식이다. 간편 결제는 플라스틱 원래 카드의 결제 정보와 그 발급자를 증명하는 절차를 간소화하는 방법으로서 비대면 거래에서 주로 사용되기 위해 활용되고 있다.

간편 결제는 기본적으로 유사한 공통적인 절차로 구성된다. 간편 결제 거래를 하려면 먼저 본인의 카드를 등록해야 한다. 등록된 카드는 영구 혹은 일회성 결제 비밀번호로 인증될 때 연계된 카드의 전체 정보를 복원하고 금융회사에 전송해 거래승인을 요청하게 된다.

간편 결제에 따라서는 결제 UI를 웹으로 구성하기도 하고, 휴대전화의 앱으로 제공하기도 하며 결제 비밀번호를 단문자 서비스로 간접 전송하거나 앱을 통해 직접 전송하는 등의 차이가 있을 뿐이고 확연한 기술적인 기능 차이는 없다고 관측된다.

가장 넓게 시장 확산에 성공한 웹 방식의 간편 결제는 안심클릭에서의 카드 정보를 입력하는 불편함을 개선한 형태이다. 신한, 삼성, 현대, 롯데카드 등 외에도 이니시스나 LG U+ 등의 PG사도 웹 방식의 간편 결제 서비스를 시행하고 있다. 웹 방식의 간편 결제는 인터넷몰 결제의 에코 시스템을 변형시키지 않는다. 기존과 동일 사업자가 동일 지급 프로세스상에서 카드 정보를 복원하는 추가적인 절차를 부가한 것이다. 따라서 간편 결제이지만 운영 프로세스는 더욱 복잡해졌고 비용[8]도 더 소요된다.

사실 웹 방식의 간편 결제는 수정된 모바일 안심클릭이라고 불러야 적절하다. 이면의 안심 클릭 결제 프로세스는 같기 때문이다. 모바일 기기에서는 PC와 달리 OS가 다양하고 액티브-X가 지원되지 않기 때문에 순수 웹 방식의 결제는 태블릿·IPTV 등의 n-스크린 결제로 확장하는 면에서 큰 강점이 있다. 또한 '쇼핑몰-PG-VAN-신용카드사'로 이어지는 에코 시스템이 유지되는 측면에서 기득권을 가진 결제사업자의 이해관계에 영향을 미치지 않는다.

웹 방식의 간편 결제[9]가 모바일 결제의 가장 높은 실적을 보이는 이유의 하나이기도 하다.

간편 결제의 또 하나 큰 흐름은 스마트폰 앱 방식이다. 일반적으로 앱은 웹보다 고기능을 제공해 편의성이 드러난다. 결제암호를 전송하는 방법도 앱 방식이 사용자에게 편의성 면에서 우월하다. 특히 스마트폰의 NFC 기능과 연동하는 면이 유리해 오프라인 대면 거래에서도 적용될 수 있는 점이 특징이다. 기타 결제 프로세스에 필수적인 암호화 수행기법도 넓은 선택의 폭이 있다.

앱 방식의 간편 결제를 서비스하는 사업자는 하렉스인포텍과 SK플래닛 등이 있다. 그들은 기존 결제 에코 시스템에 포함되지 않았던 사업자로서 앱의 고기능과 휴대전화의 통신기능을 활용해 모바일 VAN의 역할을 하고 있다. 앱 방식의 간편 결제 사업자는 새로운 지급 결제방식을 시장에 침투하기 위해 웹 방식의 간편 결제 사업자 집단과 경쟁해야 한다. 이것이 앱 방식의 간편 결제가 가맹점 확산에 어려움을 겪는 이유이기도 하다.

### ● ● ● 바코드 방식 모바일 결제

바코드 방식의 모바일 결제 솔루션이 여러 가지 변형된 형태로 시장에 존재한다. 하지만 그 공통적인 특징이 있다. 바코드 모바일 결제는 결제 거래에서 휴대전화의 앱이 구동돼야만 한다. 휴대전화 화면에 바코드를 생성하는 데 필요한 절차이며 결제하는 자의 조력이 타 결제 솔루션보다 많이 소요되는 측면은 불리한 요소로 작용한다.

화면에 표시되는 바코드는 일회성이며 거래마다 바코드를 생성해 전달하기 위해 바코드 서버와의 보안통신의 연결을 추가로 필요로 한다. 보통 3분 정도의 시간 동안 유효한 바코드 번호는 사전에 등록된 결제수단의 소지자임을 인증하는 구실을 한다. 영구적인 결제수단이 아니므로 금융보안의 취약성을 보완하는 차원에서 결제를 위한 추가적인 비밀번호를 입력하는 것이 일반적이다.

〈은행계좌·소액 바코드 결제〉

바코드 결제 솔루션은 여러 가지 형태로 존재하는데 그 기준을 등록 결제수단에 따르면 손쉽게 분류할 수 있다. 바코드 결제는 휴대전화 앱에서 사전에 결제수단을 등록하는 절차를 반드시 선행해야 한다. 이때 등록하는 결제수단이 신용카드가 될 수도 있고 은행계좌가 될 수 있으며 이동통신사의 폰빌Phone Bill에 후지급 합산하는 방식도 가능하다. 물론 결국에는 등록 결제수단의 특성에 따라 결제처리가 이루어지므로 거래 과정과 결과는 각각 다를 수밖에 없다.

은행계좌는 등록계좌에 있는 잔액 범위 내에서 거래의 승인이 있을 것이고 지급 형식으로 결제자에서 가맹점주로 즉시 이체가 이루어진다. 폰빌은 후지급 거래이지만 법으로 정해진 한도금액 내에서만 거래가 유효하다. 결제수단을 등록할 때는 각 결제수단에 따라 적절한 본인인증 단계를 거쳐야만 한다. 은행계좌는 OTP[10] 생성기가 필요할 수 있으며 신용카드는 공인인증서를 제출해야 한다.

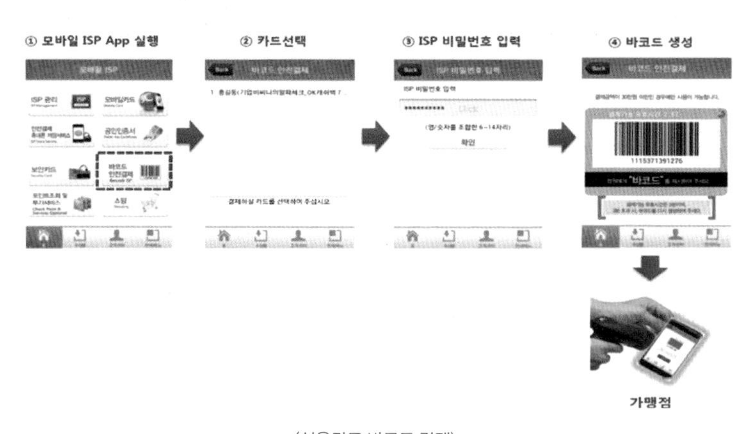


〈신용카드 바코드 결제〉

휴대전화 화면의 바코드는 가맹점의 바코드 리더로 보통 입력한다. 하지만 바코드에 해당하는 숫자를 키보드로 수기 입력도 가능하도록 하고 있다. 이와 같은 바코드 입력 환경은 POS 단말기 가맹점에서만 구현될 수 있으며 결제 화면에 별도의 결제처리 메뉴가 추가돼야 한다. 승인을 위한 결제전문의 신규개발도 병행돼야 함은 물론이다.

바코드 결제의 최대 장점으로 꼽히는 동시에 일부 금융회사에서 채택한 동기가 바코드 결제의 단말기 의존성 낮음[11]에 있었다. 굳이 NFC 휴대전화가 있는 고객에 한정하지 않고 가맹점에 모바일 결제 동글을 보급하는 문제에서 벗어날 수 있다고 생각한 것이다. 그러나 구형 휴대전화를 사용하는 사용자 집단이 모바일 결제를 하는 선도집단일 수 없으며 대부분 스마트폰이 NFC폰으로 전이[12] 되는 사실도 고려해야 한다.

또한 POS 단말기는 전체 신용카드 가맹점의 20퍼센트 수준에 머물러 전체 시장의 확산에 어려움이 있다. 그리고 모든 POS 가맹점에 바코드 리더가 있는 것은 아니며 일반적으로 바코드 리더는 모바일 결제 동글에 비해 상당히 고가이다. 이 밖에도 POS 프로그램의 수정에 드는 개발비용 또한 모바일 카드에 비해 많다.

바코드 결제는 NFC 기술을 우회해 범용의 모바일 결제를 지향하는 의도에서 기획됐지만 인프라의 확산에 큰 장애가 있고 결제 과정에서의 결제자 조력을 다소 과도하게 요구하는 면이 있어 시장에 침투하는 과정에서 진통이 예상된다.

### ● ● ● 직불방식의 모바일 결제

직불 모바일 결제는 은행계좌의 잔액 범위 내에서 즉시 결제하는 방식이다. 직불 모바일 카드의 형태[13]로 RF 방식으로 처리될 수도 있어 앞에서 설명한 바코드 방식일 수도 있다. 직불 모바일 결제는 정부 정책의 지원에 힘입어 당분간 한 흐름이 될 수 있으며 다양한 모바일 결제에 대한 독자의 이해도를 높이고자 별도로 설명하고자 한다.

정부는 서민의 소비생활 안정을 위해 후지급방식의 신용카드를 규제하며 체크카드나 직불카드 또는 은행계좌 결제와 같은 직불방식 활성화 정책을 추진 중[14]이다. 직불방식의 모바일 결제 중에서도 금융결제원 주관으로 PG업체[15]가 개발한 전자 직불결제 시스템은 크게 두 가지 방식을 지원한다. 하나는 바코드를 이용한 방식이다. 스마트폰 앱을 설치하고 은행계좌를 등록하게 되면 스마트폰 화면에 바코드를 생성할 수 있다. 매장에 있는 바코드 리더로 이것을 읽어 거래승인을 하고 즉시 출금 및 이체방식으로 결제하는 것이다. 또 다른 방식으로는 ARS를 이용하는 것이다. 결제 시에 등록된 휴대전화로 전화가 걸려오고 비밀번호를 입력하면 거래와 정산이 이루어지는 방식이다.

체크카드 방식의 직불 모바일 카드 결제는 신용카드 결제와 똑같은 환경에서 결제처리가 이루어지므로 가장 유력한 직불형 모바일 결제가 될 것이다. 그러나 직불카드 또는 현금카드를 모바일 환경에서 구현한 경우에는 가맹점의 모집과 결제환경의 보급투자가 그리 녹록한 일이 아니다. 더군다나 직불방식의 프로세싱 수수료가 신용카드보다 낮으므로 전국 규모의 가맹점 확보와 관리가 체계적으로 단시간 내에 이루어지기는 어렵다.[16]

소비자로서도 직불방식의 모바일 결제 수용성을 생각해보아야 한다. 소득공제 혜택은 신용카드보다 크나 신용카드가 제공하는 다양한 혜택이 없어 크게 확산하기 어렵다는 의견이 있다. 직불방식의 모바일 결제를 활성화하기 위해서는 여러 가지 조건이 만족돼야겠지만 그 중에서도 인프라 투자에 대한 명확한 태도를 정하는 것이 필요하다.

### ●●● 앱카드(앱결제)

2013년 들어 가장 많이 언론에 노출된 모바일 결제 솔루션은 앱카드이다. 앱카드는 사실상 바코드 결제의 한 종으로 볼 수 있다. 앱카드 사업을 선도하는 6개 카드사가 바코드 결제 솔루션을 활용해 등록 결제수단이 신용카드인 모바일 결제를 활성화하고자 한 것이다. 그러므로 앞에서 설명한 바코드 결제의 내재적인 특징을 그대로 상속하고 있다고 할 수 있다. 앱카드로 명명해 모바일 카드의 일종으로 소비자에게 설명하고 있어 기존에 알고 있던 유심 모바일 카드와의 차이점에 대해 비교하는 측면에서 기술하고자 한다.

유심카드와 앱카드 진영의 모바일 일전을 여러 신문에서 다루고 있다. 사실 두 가지 모바일 결제 솔루션은 그 세부내용에서는 유사한 부분이 별로 없는데도 한 판의 경쟁구도가 벌어졌다고 말한다. 앱카드와 유심 모바일 카드는 모두 모바일 결제 솔루션이라는 점에서는 관계가 있을 수 있으나 유사한 점이 별로 없는 별개의 종이다. 그 면면을 각각 살펴보자.

유심 모바일 카드는 현재까지는 비록 플라스틱 카드와 동시에 발급된다고 해도(체크카드는 단독상품 허용됨) 별도의 카드번호로 발급되는 엄연한 독립 금융상품이다. 반면 앱카드는 플라스틱 카드

정보와 연관지은 일회성 바코드 번호로 결제한다. 플라스틱 카드로 결제되는 것이라 볼 수 있다. 그러므로 앱카드는 신규 모바일 카드의 발급이 없으며 금융상품으로 보기 어렵다. 다만, 스마트폰 환경에서 플라스틱 카드를 편하게 사용할 수 있도록 한 모바일 결제 솔루션이다. 실제로 이전에 소액 결제업체인 다날, 모빌리언스의 바통, 엠틱과 크게 다르지 않다.

특히 가맹점의 POS와 같은 결제 플랫폼에 적용될 때 큰 차이를 보인다. 유심 모바일 카드는 신용카드 정보를 읽는 방법을 달리하는 것으로 동글이라는 장치를 POS에 연결해 신용카드 정보를 취득한다. 결제처리는 POS 메뉴의 신용카드 메뉴에서 플라스틱 신용카드와 같게 처리된다. 그러나 앱카드는 신용카드 금융정보가 아닌 바코드 번호를 이용한 신규 결제 메뉴를 POS에 만들어야 하고 이를 처리하기 위한 전산 전문개발도 이루어져야 하는 어려움이 있다.

가맹점 매장에서 결제할 때 앱카드 사용자는 스마트폰을 켜고 앱을 구동해야만 일회성 바코드를 생성할 수 있다. 유심 모바일 카드는 교통카드와 같은 방식으로 동글에 스마트폰 본체를 근접시킨다. 외견상의 사용 형태 면에서 유사한 점을 발견하기가 쉽지 않다. 다만, 스마트폰에서 온라인 결제를 할 때는 두 결제 솔루션이 유사한 것처럼 보일 수 있다(실제 기술적인 기능동작은 매우 다르다). 하지만 온라인 결제는 PayPIN 등의 간편 결제와 PC에서부터 성행하던 안심·안전결제가 존재한다. 그래서 이들 모바일 결제 솔루션이 모두 유사한 방식으로 사용자에게 보일 수 있다.

오프라인 가맹점에서는 인프라의 확산이 쉽지 않다. 또 이미 대체재가 풍부한 온라인 모바일 결제시장에서는 선점한 솔루션 틈바구니에서 경쟁력을 확보해야 하는 숙제를 안고 있는 것이 이제 막 시작한 앱카드의 딜레마이다.

앱카드와 모바일 카드 비교

| 구분 | 앱카드 | 유심 모바일 카드 |
| --- | --- | --- |
| 금융상품 | No | Yes |
| 결제 플랫폼 | 신규 결제 메뉴 | 기존 신용카드 메뉴 |
| 사용 형태 | 스마트폰 앱의 구동 | 교통카드 방식의 터치 |
| 온라인 결제 | 기존 안심·안전결제와 유사 | 보안매체(HSM )[17] 결제 |

### ●●● 마이크로 SD 방식의 보안매체의 등장

모바일 결제가 가져온 산업에 대한 변화는 금융정보의 저장매체에 대한 변경에서도 찾을 수 있다. 플라스틱 카드가 휴대전화의 가입자 인증정보를 저장하기 위한 보안매체인 유심으로 대체되는 것을 알고 있다. 금융회사가 금융상품을 제공하기 위한 기반 플랫폼이 달라지는 것으로 금융산업의 일정 부분이 타 산업과 협업해야만 하는 것을 의미한다. 여기에서 이종산업의 사업자 간 경쟁이 유발되고 결국에는 고객에 대한 서비스 연속성seamless service의 품질이 저하되는 결과를 가져올 수 있다.

텔코Telco에게서 독립적인 금융사업을 하고자 하는 금융회사들은 보안매체를 가질 필요를 느끼게 됐고 SD카드에 보안기능을 포함한 SDSE[18] 제작 시도를 하게 됐다. 2012년 초 대부분 은행과 신용카드사가 참여해 금융결제원 주도로 진행된 마이크로 SD카드 프로젝트는 2012년 11월에 대부분의 개발을 종료하고 표준[19]을 제정하기에 이르렀다.

물론 텔코 그룹에는 좋지 않은 뉴스이다. 스마트폰 시대가 되면서 휴대전화에 대한 이동통신사의 통제력이 많이 약화된 것이 이러한 현상으로 발현되고 있다고 본다. 그러나 아직은 SDSE 매체가 성공적으로 시장에 침투할지는 알 수 없다. 금융회사가 휴대전화의 제조부터 유통에 이르기까지 이동통신사의 영향력을 단기간에 넘어서기는 쉽지 않기 때문이다. 또한 SDSE를 공동으로 금융회사가 사용하는 운영방안에 대한 합의 도출도 넘어야 할 큰 산일 수 있다.

SDSE 프로젝트 그룹은 2012년 개발과 표준제정을 마치고 2013년 시범 서비스와 KS규격 제정을 할 계획을 세워놓고 있다. 각 은행과 긴밀한 협의를 진행하고 있다. 주요 은행들이 적극적인 자세를 취하는 만큼 시범 서비스 정도는 무난하게 진행될 것으로 관측된다. 각 금융회사가 이에 대한 최소한의 사업 비용을 책정한 것이 여러 경로를 통해 확인되고 있다

무엇보다 관건은 SDSE를 탑재할 수 있는 휴대전화의 제조와 보급이다. 기술적으로는 SDSE와 NFC 칩 간에 SWP[20] 방식으로 연결된 휴대전화에서만 구현할 수 있기 때문이다. 국내 3대 휴대전화 제조사[21]가 수용할지는 미지수이다. 신규 휴대전화 모델에 대한 판로가 충분히 예상되지 않는다면 의사결정이 어려운 것이다. 일부

국외 벤더의 경우에는 유심과 SD 양쪽에 SWP를 연결하는 방식도 제공한다는 정보도 있는 것을 보면 장기적으로는 문제가 해결될 가능성도 있다.

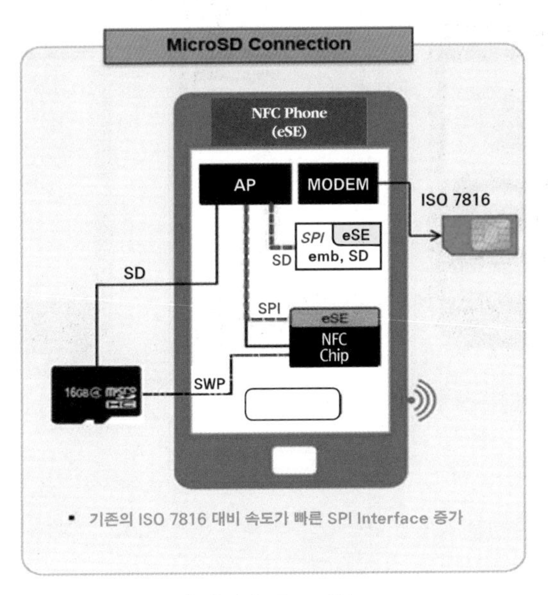


〈금융 마이크로 SD카드〉

## ●●● 유심 모바일 카드

모바일 결제의 대표격인 유심 모바일 카드는 오랜 기간 시장침투와 확산을 위한 노력을 했지만 큰 소득이 없었다. 따라서 모바일 카드에 확신이 없는 금융회사는 앱카드를 주류 모바일 결제 솔루션으로 채택하고 있다. 유심에 대한 통제권을 이동통신사에서 금융권으로 이동하려는 의도가 금융 마이크로 SD카드의 개발 원인이 됐다. 결국 원조 모바일 결제인 유심 모바일 카드의 부진이 모바일 결제 솔루션의 진화를 촉진했다고 해도 과언이 아니다.

〈유심 모바일 카드〉

그러나 유심 모바일 카드가 아직도 시장에서 도태되지 않은 것은 명확한 특징과 장점이 있기 때문이다. 유심만큼 저렴한 보안매체는 없다. 모바일 카드와 같은 금융상품은 보안매체에 발급되고 사용되는 것이 가장 바람직하다. 이 의견에는 대다수의 업계 전문가가 동의하고 있으며 금융보안을 중요한 이슈로 다루는 정부 부처에서도 인정하고 있다. 모든 휴대전화에 내장돼 있으며 수천 원의 비용으로 구매 가능한 유심과 경쟁할 수 있는 보안매체는 아직 찾아보기 어렵다. 단순히 보급의 문제를 넘어서 오랜 세월 관행으로 굳어진 유심 관리체계가 신생의 타 솔루션에서는 기대하기 어려운 강점이 되고 있다.

유심 모바일 카드는 플라스틱 IC카드의 발급과 같은 형식과 절차로 발급된다. 차이점이 있다면 플라스틱 IC카드는 폐쇄된 공간의 전용 발급기에서 처리됐다. 하지만 모바일 카드는 이동통신망을 이용한 OTA 발급이라는 점이다. 발급 후 결제과정에서는 IC카드거래라는 점에서는 같다. 유심 모바일 카드는 거래마다 고유의 암호문을 생성하고 있어 금융회사에서는 이를 인증한 경우에만 거래의 승인을 할 수 있다.

또 금융회사는 승인하는 동시에 암호문을 생성해 모바일 카드로 전달해 카드가 카드회사를 인증할 수 있도록 하는 기능을 제공하고 있다. 이를 총괄적으로 상호인증Mutual Authentication이라고 하며 스미싱이나 파밍과 같은 금융사고를 원천적으로 차단하기 위해서 반드시 필요한 기능이라고 할 수 있다. 즉 금융회사만 부정한 의도의 고객을 의심하는 시대에서 고객도 거래하는 대상이 진정한 금융회사인지를 인증하는 대사기능Audit이 제공돼야 한다. 즉 10여 년 전에 시장에 소개된 유심 모바일 카드는 여러 가지 문제점에도 미래의 전자금융 산업에서 생존할 수 있는 기능과 구조를 지니고 있다.

모바일 카드는 이동통신사가 관리하는 유심에 다수의 금융사가 공용으로 이용해야 하는 면에서 업무의 협업이 복잡도를 증대시키고 있다. 그러다 보니 처리오류의 가능성을 높여 기술수준을 현저히 떨어뜨리고 있다는 의견이 있다. 금융회사와 이동통신사 간의 협업이 더욱 원활하게 이루어져 수준 높은 유심 모바일 카드 금융서비스를 소비자에 제공한다면 유심 모바일 카드가 모바일 결제의 주류 솔루션이 되리라는 예상은 그리 무리한 것이 아니라고 판단된다.

### ●●● 모바일 응용 서비스

앞으로 전통적인 지갑을 대체할 것으로 보이는 모바일 전자지갑에서 가장 중요한 기능은 결제수단을 탑재하고 편리하게 사용할 수 있도록 운영하는 것이다. 하지만 소비 패턴에서 마케팅 요소가 지급 결제에 많은 부분 관여하게 됨에 따라 전통적인 지갑에서 단순한 결제수단만을 위한 지갑이 아니라 멤버십·포인트카드, 쿠폰, 영수증 등을 넣어서 다니는 것이 일반화됐다.

물론 전자지갑도 예외는 아니다. 오히려 모바일 전자지갑에서는 결제수단보다 멤버십·포인트카드가 더 활성화되는 양상을 보이고 있다. 앞으로 이러한 모바일 기반의 응용 서비스가 더욱 발전할 것으로 예상된다.

대표적인 것이 앞서 얘기한 멤버십·포인트, 쿠폰, 스탬프 등의 로열티 서비스이다. 현재도 전통적인 지갑에 수많은 멤버십·포인트카드를 넣어 다니거나 아니면 별도의 지갑을 소지하고 다니는 사람들을 주변에서 쉽게 볼 수 있을 정도로 멤버십·포인트카드가 활성화되어 있다. 또한 쿠폰과 스탬프도 종이 또는 문자 메시지 형태로 최근 많이 활성화되어 있다. 이러한 서비스들이 소지의 간편함을 앞세워 빠른 속도로 모바일 전자지갑 속으로 들어가고 있다. 이용의 편의성도 일정 부분 사람들에게 인정을 받아서 점차 활성화되는 추세이다. 게다가 앞으로 모바일 기기의 휴대성, 이동성, 위치기반 등 신기술 접목의 특징을 앞세워 전통적 지갑에서는 경험하지 못했던, 한층 업그레이드된 서비스를 제공할 것으로 기대된다.

또 하나의 유망한 모바일 응용 서비스는 모바일 전자 영수증이다. 지금 결제활동에 따른 소정의 산출물로 종이 영수증이 출력되고 있다. 특별히 필요하지 않으면 곧바로 쓰레기로 전락하게 되는 경우가 많다. 또한 필요 때문에 보관하게 되더라도 대부분 종이 영수증이 스크래치에 약해 식별이 어렵거나 환경호르몬 영향으로 인체에 유해하다는 연구결과도 있어 유쾌하지만은 않은 것이 사실이다.

이러한 문제를 해결한 것이 모바일 전자 영수증으로 결제와 동시에 모바일 전자지갑에 전자 영수증 형태로 저장되는 것이 기본 형태이다. 영수증 소지를 간편하게 해줄 뿐만 아니라 인체에 해롭지도 않고 더더욱 종이 남발에 따른 환경파괴를 지양할 수 있다는 친환경적 요소도 장점으로 꼽힐 수 있다. 이런 미래지향적이고 친환경적인 서비스로의 입지 탓에 사업자뿐만 아니라 정부 기관에서도 관심을 보이고 있다.

### 모바일 로열티 서비스

모바일 로열티 서비스의 대표적인 아이템은 멤버십·포인트카드이다. 가맹점이 점차 대형화 또는 그룹화되면서 해당 가맹점의 매출 증대를 위해 자체 멤버십·포인트카드 운영이 일반화되어 있다. 이렇게 많은 가맹점에서 운영되다 보니 업종별 최상위 가맹점의 멤버십·포인트카드 수만 합쳐도 수십 장이 시중에서 운영되는 상황이다. 따라서 고객들이 소지에 대한 불편함을 호소하기 시작했다. 이런 간편한 소지에 대한 니즈로 말미암아 전자지갑에 빠르게 적용되고 있다. 현재까지는 대부분의 구현방식은 바코드 형태로 선택돼 운영되고 있다.

바코드 형태의 멤버십·포인트카드는 전자지갑에 카드 이미지 형태로 저장돼 있다가 가맹점에 제시해야 할 때 바코드 형태를 생성하여 제시하게 되고 가맹점에서는 바코드 리더를 통해 멤버십·포인트카드 정보를 수신하여 해당 처리를 하게 된다. 이런 모바일 멤버십·포인트카드는 해당 멤버십·포인트카드 자체 가맹점 앱을 활용해 운영되고 공용으로 사용되는 전자지갑(카드사, 이동통신사 등)에 탑재돼 고객에게 서비스되는 등 크게 두 가지 경우로 운영되고

홈플러스 앱 해피포인트 앱

〈가맹점 자체 앱 활용한 사례〉

있다.

공용 전자지갑을 활용하는 경우는 주로 카드사 또는 통신사 전자지갑에서 볼 수 있으며 카드사-제휴 가맹점, 이동통신사-제휴 가맹점 등의 제휴관계를 통해 해당 서비스를 제공하고 있다. 이러한 전자지갑 제휴는 이동통신사에서 좀 더 적극적으로 추진하려고 노력하고 있다. 현재까지는 성공적으로 이동통신사 전자지갑 기반에서의 모바일 멤버십·포인트카드 서비스가 운영되고 있다고 할 수 있다.

최근에는 NFC 기능이 확대 적용됨에 따라 모바일 멤버십·포인트카드도 NFC 형태로 적용·운영하는 서비스가 출시됐다. NFC 기반의 멤버십·포인트카드 서비스는 바코드 서비스와는 달리 매번 화면을 구동시키지 않아도 되는 장점이 있다. 또한 NFC 기반의

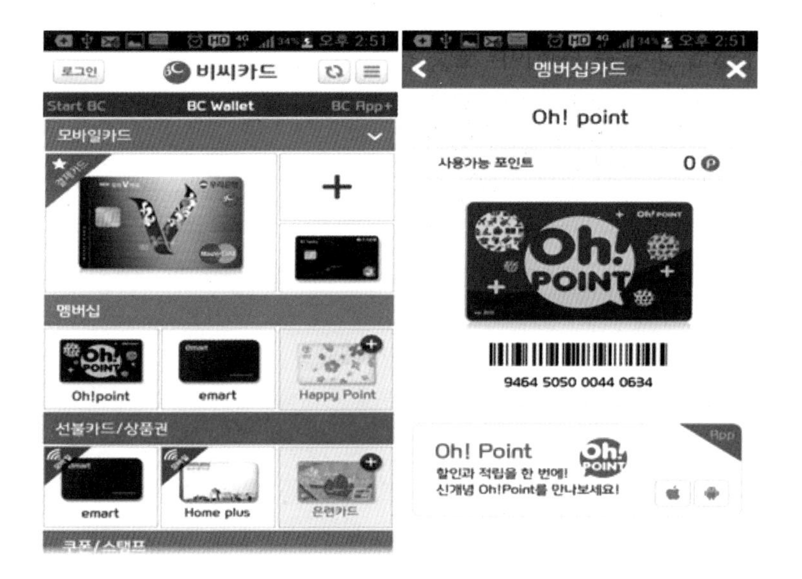

〈공용 전자지갑 활용의 경우〉

모바일 결제와 한 번의 터치로 멤버십·포인트 기능을 동시에 처리할 수 있는 '카드+멤버십·포인트 원 터치' 복합 결제가 가능해서 고객뿐만 아니라 가맹점에서도 편리한 서비스가 될 것으로 기대를 모으고 있다.

〈"카드 + 멤버십·포인트 원터치" 복합 결제 사례〉

모바일 쿠폰 서비스는 대다수 바코드 형태로 운영되고 있다. 또 전자지갑에 저장된 형태보다는 MMS 형태의 문자 메시지 형태로 운영되는 경우가 더 많다. 하지만 문자 메시지 형태는 별도 쿠폰 관리기능이 없어서 고객 편의성 측면에서 호감도가 떨어지는 것이 사실이다. 따라서 앞으로 전자지갑에 저장되는 형태로 상당 부분 전환될 것으로 예상한다.

전자지갑에서 관리가 이루어진다면 단순한 저장 및 검색기능이 강화되는 것뿐만 아니라 유효기만 만료 안내 기능이라든지 위치기반에 의해 쿠폰 사용이 가능한 가맹점을 실시간으로 안내하는 등의 어드밴스트한 기능 구현을 통해 고객에게 더 양질의 서비스 제공이 가능할 것이다.

모바일 스탬프 서비스는 모바일 기반이라기보다는 서버 기반으로 운영이 이루어지는 추세이다. 지급 결제 시점에 스탬프를 발행하기 위해서는 NFC 기술 중에서도 P2P 기능을 활용해야 한다. 하지만 기술기반 HW 상황 및 가맹점 구현에 대한 어려움으로 서버 기반으로 운영되고 있다. 해당 가맹점에서 결제 내역이 서비스 제공 서버에 전달되면 해당 서버에서 자동으로 스탬프를 발행한다. 그리고 이 서버에 연결된 앱을 통해 최종적으로 적립된 스탬프를 확인하는 프로세스를 일반적으로 많이 사용하고 있다.

〈모바일 스탬프 사례〉

모바일 로열티 서비스는 지금도 일정 부분 활성화되어 있고 앞으로도 고객의 니즈에 맞을 것으로 예상되는바, 앞으로 모바일 전자지갑 기능 활성화에서 매우 기대가 높은 서비스이다. 또한 NFC 및 위치기반 서비스 발전에 따라서 기존의 단순한 콘텐츠 관리 및 바코드 제시 서비스에 그치지 않고 고객에게 스마트한 서비스를 제공할 수 있을 것으로 예상한다.

물론 로열티에서 하나의 이슈가 있다면 과연 이 서비스 제공의 주류에서 통합된 전자지갑에서 제공되는 추세로 갈 것인지, 아니면 개별 사업자별 앱기반으로 서비스가 운영될 것인지에 대한 선택에 대한 갈림길에 곧 직면할 것으로 예상한다. 통합된 전자지갑에서 서비스를 제공하는 것이 주류가 된다면 고객들로서는 매우 편리하게 사용할 것으로 예상된다.

그러나 통합된 전자지갑을 운영하는 사업자는 그만큼 해당 서비스에 대한 마케팅 주도권 및 그에 따른 신규 수익 확보 가능성 때문에 주변의 견제를 받을 가능성이 크다. 따라서 전자지갑 구현의 난이도가 높지 않고 고객이 통합된 전자지갑 서비스를 필요로 하지 않는 한, 개별 사업자별 앱기반으로 주류가 형성될 가능성이 좀 더 높아 보인다.

### 모바일 전자 영수증 서비스

모바일 전자 영수증이란 물품 또는 서비스 공급자가 사용자에게 발행하는 영수증이다. 다양한 지불수단을 통해 결제가 완료되면 소지한 휴대 단말에 발급(전송)해주는 전자적인 형태의 영수증 데이터를 의미한다(TTA, 모바일 전자 영수증 관리 규격).

물론 발급된 모바일 전자 영수증은 전자적인 보안기능을 바탕으로 기존의 종이 영수증과 같게 교환 또는 환급의 증표로 사용할 수 있으며, 용도에 따라 주차 인증 또는 특정 기관에 지출 증빙으로 제출할 수 있는 기능을 제공해야 할 것이다. 기존의 일부 카드사가 운영하는 모바일 전자 영수증은 실제 영수증을 발급한 형태라기보다는 기존 승인의 알림 SMS 문자 메시지를 영수증 양식에 맞추어 발급하는 수준으로 해당 가맹점에서 영수증으로 인정받을 수 없는 형태이다. 따라서 앞으로 서비스될 모바일 전자 영수증 서비스는 앞서 말한 영수증 기능을 온전히 수행할 수 있는 형태 및 내용을 담을 수 있도록 기획되어야 할 것이다.

현재까지의 기술 기반 및 가맹점 상황을 고려했을 때 모바일 전자 영수증을 발급하는 방법으로는 일반적으로 다음의 세 가지 경우가 있다.

첫 번째로는 NFC의 P2P 기능을 통해 영수증 데이터를 휴대전화 메모리에 기록하는 방법이다. 지급 결제 시점에 자동으로 전자 영수증 정보가 전송된다는 측면에서 긍정적인 방식이다. 하지만 실제 구현내용을 보면 전자 영수증 데이터를 받기 위해서 NFC P2P 기능을 활용해야 함에 따라 필수적으로 앱을 구동해야 한다는 불편함이 따른다. 고객이 명확히 서비스를 인지하고 사용한다면 큰 문제가 되지는 않으리라고 보이나 초기 활성화 측면에서는 이용 고객에게 불편 또는 당혹감을 줄 수 있다. 이는 단점으로 지적된다.

두 번째로는 NFC의 카드 에뮬레이션 기능을 활용해 SESecure Element에 전자 영수증 정보를 발급하는 것이다. 이 방식은 앱 구동의 이슈도 없고 간단한 터치를 통해서 지급 결제와 동시에 전자 영수증을 발급할 수 있다는 이상적인 구현 모델로 여겨질 수 있다. 그러나 치명적인 단점이 있다면 SE의 메모리가 매우 적고 한정적이어서 전자 영수증 정보를 얼마나 저장할 수 있을지는 의문이다.

세 번째로는 서버기반의 전자 영수증 발급이다. 이 부분은 현재의 승인 내역 SMS 알림기능을 전자 영수증으로 만든 것으로 실제 영수증 수준으로 발급하는 것을 전제로 한 모델이다. 이 구현방식이 앞의 두 구현방식과 다른 가장 큰 차이점은 전자 영수증 역할을 위한 영수증 데이터 발급에서 전자는 영수증 데이터가 직접 휴대전화로 전송되나 후자는 서버기반이기 때문에 영수증 데이터가 결제 단말기 또는 결제 가맹점 서버를 벗어나 데이터가 이동한다는 것이다. 물론 그 때문에 가맹점에서는 선호하지 않는 방식으로 분류된다. 개인정보보호법과 관련한 부분에서도 더 충분한 검토가 필요할 것으로 보인다.

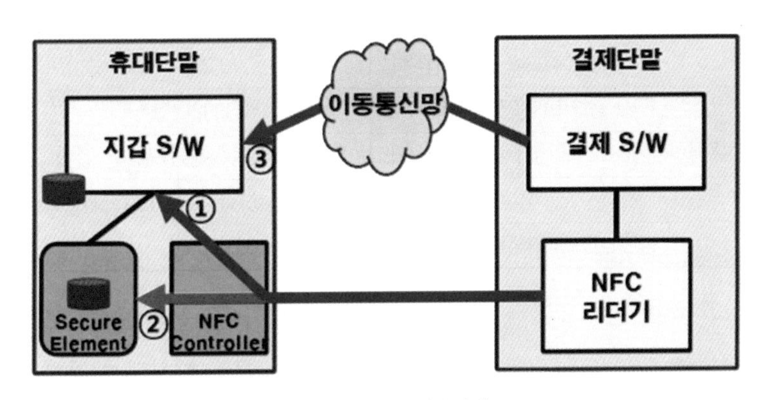

〈모바일 전자 영수증 발급 방법〉

앞으로 모바일 전자 영수증 서비스는 기본적인 모바일 결제 서비스 및 마케팅 서비스인 모바일 로열티 서비스와 함께 주요한 모바일 서비스로 확대될 가능성이 높다. 영수증은 우리 생활과 매우 밀접한 관련이 있기 때문에 지속적으로 존재할 것이다. 종이 영수증에서 전자 영수증으로의 전환은 비용절감 측면뿐만 아니라 단순 영수증 기능에서 벗어나 정밀한 가계부를 작성할 귀중한 데이터가 되는 등 이를 기반으로 업그레이드 서비스가 가능하다. 또 하나 중요한 것은 친환경 선진 서비스라는 차원에서 정부 정책의 뒷받침을 받을 가능성도 매우 커 보인다는 점이다.

단지 모바일 전자 영수증 서비스 도입과 관련해 미비한 부분이라면 현존하는 구현방식이 아직은 기술적 완성도가 높지 않다는 것이다. 따라서 모바일 전자 영수증 서비스가 시장의 기대에 걸맞게 성공하기 위해서는 고객과 가맹점에서 불편하지 않게 발급 및 이용할 수 있도록 구현하는 것은 말할 것도 없고, 고객 구매 기록이라는 새로운 차원의 고객 개인정보를 다뤄야 하는 만큼 개인 정보 보호 차원에서의 기술 및 정책 검토도 면밀하게 진행돼야 할 것이다.

## 모바일 결제가 시장에 미치는 영향

모바일 결제의 활성화 영향으로 관련 중소기업에 미치는 영향은 긍정적인 부분과 부정적인 부분으로 나뉜다고 할 수 있다. 모바일 카드 내지 모바일 결제가 새로운 지급 결제 산업이므로 기존의 가치사슬로 형성돼 있던 에코 시스템이 재배치되는 효과가 예상되며 그러한 와중에 흥하는 산업과 쇠하는 산업이 있게 마련이다.

### ● ● ● VAN사에 대한 영향

먼저 가장 많은 영향을 받은 산업군은 VAN[22]으로 볼 수 있다. 현재 시점에서 VAN의 일반적인 기능적 역할을 열거하고 그 각각에 대한 영향을 살펴보는 것은 대단히 중요하다. 첫째 VAN의 가장 기본적이고 대표적인 역할인 가맹점의 관리업무이다. 금융회사를 대신해 가맹점 거래계약을 하며 원활한 거래의 유지를 위해 VAN 가맹점으로 등록해 거래를 관리한다.

모바일 결제의 최근 경향은 오프라인 가맹점으로의 확산이라는 점을 고려할 때 일선 가맹점의 관리 역할은 매우 중요하다. 과거에는 모바일 결제가 인터넷 결제의 대체재로만 여겨져 인터넷몰과 같은 소위 온라인 쇼핑에서만 이용이 제한돼 있었다. 그러나 스마트폰에 실세계와 교통하는 여러 가지 고기능의 기술[23]이 탑재됨으로써 오프라인 가맹점에서도 모바일 결제가 시도되는 현상을 가져오게 됐다.

한국의 지급 결제 산업은 다른 나라와 비교하면 매우 발달했다고 평가를 받고 있다. 그 중에서도 가맹점의 단말기를 하나만 설치해도 모든 금융회사의 결제수단을 수용할 수 있도록 하는 시스템은 우수한 사례로 거론된다. 이러한 VAN사 중심의 가맹점 관리체계에서 가맹점에 신규 결제수단의 도입하기 위해서는 VAN사의 협조가 필수적이다. 결제 단말기의 소유가 VAN사로 명기된 것을 포함해 실제적인 기능의 추가도 VAN사에 의해 이루어지기 때문이다.

지급 결제의 가치사슬에서 최상위층에 있는 금융회사에서도

VAN사의 협조 없이는 모바일 결제의 인프라를 확산시키기 어려운 구조이다. 하물며 금융회사 이외에 IT기술을 이용해 소액 모바일 결제를 제공하는 사업자가 오프라인 환경에서 업을 확장하기는 쉽지 않다. 대형 유통점이나 전국적인 규모의 프랜차이즈 가맹점일 경우에는 예외로 보아야 할 것이다.[24]

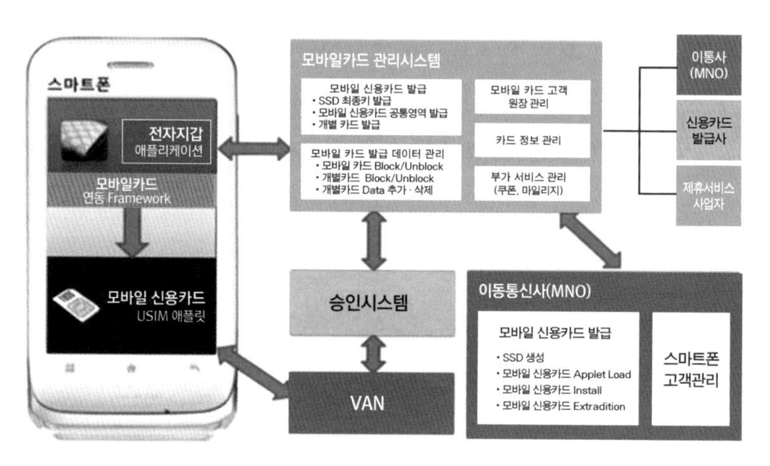


〈모바일 카드 에코 시스템〉

이처럼 가맹점에 대한 사실상의 점유를 하는 VAN사는 모바일 결제 인프라의 적극적인 확산과정에서 역할이 증대되므로 협상력이 높아진다고 볼 수 있다. 상대적으로 갑인 신용카드사에는 VAN 수수료 등의 대립 이슈를 해결할 때 사용할 수 있는 전략적인 카드가 될 수 있을 것이다.

그러나 기존의 VAN사와 비즈니스가 없었던 모바일 결제 사업자와의 관계에서는 추가 수익원 발굴의 기회로 활용할 수도 있을 것이다. 적극적인 시나리오 중의 하나는 상위 5개 정도의 VAN사가 연합해 모바일 결제의 활성화를 위한 협력체를 만들고 신규 모바일 결제 솔루션의 적용을 검토하는 것이 될 수도 있을 것이다.

둘째로 고려해야 할 부분은 VAN사의 지급중계 역할이다. VAN사는 모든 신용카드사와 전용선으로 연결돼 가맹점의 신용카드 승인 거래 요청을 중계하고 있다. 이 구조가 유지되는 한, VAN사는 크게 문제될 것이 없다. 그러나 모바일 결제가 고기능의 스마트폰에서 이루어지기 때문에 이러한 구조가 변형될 가능성이 있다고 충분히 예상할 수 있다.

PC 수준의 프로세서를 장착한 스마트폰은 암호화 연산기능, 네트워크 통신 등의 여러 면에서 가맹점 결제 단말기의 강력한 경쟁자가 될 수 있다. 최근에는 4세대 무선 네트워크 통신방식인 LTE

〈스퀘어사의 휴대전화 신용카드 결제〉

를 채택한 휴대전화가 보급되면서 전자금융 서비스의 핵심인 통신의 실시간성 및 품질의 신뢰성 또한 급속히 발전하고 있다.

아직은 휴대전화를 이용한 모바일 결제의 가치사슬[25]이 그대로 유지된 채 운영된다. 하지만 VAN사 시스템과는 관계없는 개인화 기기[26]에서 신용카드사로 바로 승인 요청을 하는 소위 직승인체계가 도입될 가능성이 매우 크다고 할 수 있다. 일부 신용카드사에서는 제한된 범위에서 도입해 운영 중인 것으로 보고되고 있다.

VAN사에서는 모바일 결제가 이러한 방향으로 진화하는 것을 우려하는 것이다. 신용카드 거래의 총량이 증가세를 멈춘다면 개인화 기기에서 직승인되는 모바일 결제의 거래만큼 VAN사의 비즈니스는 감소하는 것이 당연하기 때문이다.

만약 이러한 부정적인 시나리오가 맞는다면 최근 국내에서도 시행되는 스퀘어와 같은 결제 모델이 장기적으로는 VAN사에 악영향을 미칠 가능성이 있음을 알아야 할 것이다. VAN이 공급하고 관리하는 결제 단말기 외에서 결제 거래가 발생하는 것은 VAN사 입장에서는 가치사슬의 통제력이 상실되는 만큼 신중한 검토가 필요한 것이다.

### ● ● ● 결제 단말기 제조사에 대한 영향

그 밖에 모바일 결제의 영향을 받는 중소기업군으로는 결제 단말기 제조사를 들 수 있다. 모바일 결제에서 가장 보편적인 모바일 카드를 결제수단으로 채택하기 위해서는 결제 단말기와는 별도로 동글이라는 하드웨어가 추가로 필요하다. 동글의 원가는 결제 단

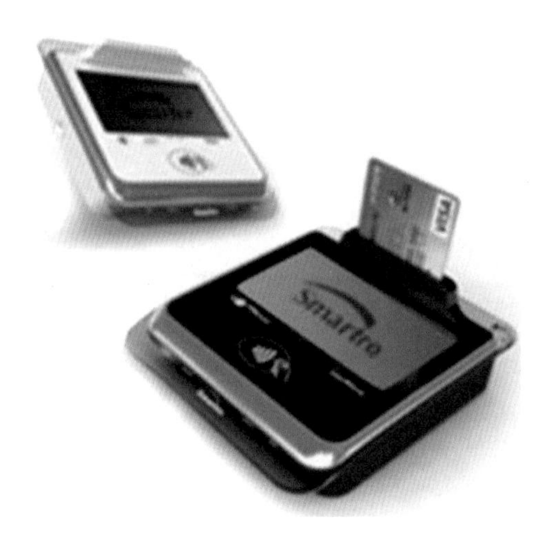


〈모바일 결제 동글〉

말기와 동등하거나 그 이상이 되는 경우가 많으므로 전국적인 모바일 카드의 결제망을 구축하기 위해서는 대규모 투자가 이루어져야 한다.

2005년경에 이동통신사가 전국적으로 설치했던 동글이 노후화돼 문제가 됐다. 그 시점에 모바일 결제가 이슈가 돼 자연스럽게 신규 동글로 교체되고 있다. 모바일 결제가 본격적으로 활성화되면 결제 단말기와 통합된 형태로 제조돼 제공될 것이지만 POS는 변함없이 동글이 독립된 하드웨어로 제동될 것이므로 동글에 대한 수요는 꾸준히 증가할 것으로 예상된다.

여기에 2012년 5월 금융위원회가 발표한 IC카드 전환 계획이 더해져 결제 단말기 제조사에는 당분간 긍정적인 사업환경이 형성될 것이라는 전망을 할 수 있다. 현재까지 금융위원회의 자료에 의하면 IC카드 접촉식 결제방식으로 결제 단말기를 지원하는 것으로 알려졌다. 모바일 카드 결제를 위한 동글에서 접촉식 IC카드 결제 기능을 복합적으로 탑재하는 것은 어려운 일이 아니므로 이 또한 결제 단말기 제조사의 영업에 도움을 줄 것이다.

정부에서는 최근 국민의 안정적인 소비생활 풍토를 진작시키기 위해 직불형 카드 결제 시스템을 도입할 것이라는 계획을 발표한 바 있다. 이것이 모바일 결제의 한 형태로 보이며 결제 인프라 투자에 대한 재료가 될 수 있다고 보아도 좋을 것이다.

2012년에는 안드로이드 계열의 스마트폰에 NFC[27]가 대부분 탑재되면서 관련 산업에 연쇄적인 반응을 보여주고 있다. NFC 지급 결제 단말기를 개발하는 데 필요한 장비는 많은 판매 실적을 보이고 있으며 개발 후 결제 단말기의 기능을 검증하는 인증센터의 예약은 몇 달의 일정이 이미 마감된 상태이다. 우리는 그러한 사실에서 많은 결제 단말기 제조업체가 이미 신규 모델에 대한 개발을 준비하고 있고 향후의 모바일 결제시장을 긍정적으로 바라본다는 것을 알 수 있다.

우리는 지난 2006년 일본 전역에서 전자지갑폰이 유행하면서 떠들썩했던 사례를 기억하고 있다. 유통사업자, 교통사업자, 통신업자, 금융사업자 할 것 없이 경쟁적으로 모바일 결제 사업에 뛰어들었다. 2년 이후 사업의 실패를 인정하기까지 막대한 투자가 이루어졌다. 일부 사업자에게는 긍정적인 성과가 있었다.

하지만 최대 수혜자는 결제 단말기 제조사였다. 일본 전자제품 제조사인 파나소닉은 전자지갑폰의 인프라가 보급되던 수년 동안 많은 이익을 얻게 된다. 그들이 단순한 결제 단말기만 제공하지 않고 다양한 가맹점의 환경에서 전자금융 결제 서비스를 구현하기 위한 컨설팅도 병행해 수행했다는 것은 주목해볼 부분이다.

# 04

# 모바일 결제의 보안

개인이 항상 소지하는 휴대전화에 지급 결제수단을 탑재하는 모바일 결제는 전자금융산업의 발달에 긍정적인 영향을 미치고 있다고 할 수 있다. 특히 우리나라와 같은 정보통신 강국에는 매우 적합한 형태의 결제 솔루션이다. 이러한 가능성을 직감해서인지 IT업계와 금융산업계에서는 다양한 형태의 모바일 결제 솔루션을 시장에 출시하고 있다. 10여 개 이상의 모바일 결제 솔루션이 시장침투와 선점을 위해 분투하고 있다. 내가 이 시점에서 중요하게 언급하고 싶은 사항은 금융보안에 관한 것이다.

일반적으로 보안성이 높다면 사용 편리성이 감소하게 마련이다. 시장 초기에 보안성을 너무 강조하다 보면 사업자의 영업환경이 위축되는 결과를 가져오고 불편을 경험한 고객을 시장에 안착시켜

고정 고객화하는 활동은 어려울 수밖에 없다. 그러나 최근의 눈부신 IT기술의 발달로 금융산업도 국민편익 증진에 이바지할 수 있다고 하더라고 금융보안이 취약해지는 부작용까지 떠안으려는 정부 당국과 금융회사는 없다.

금융소비자로서도 금융위험을 감수하면서까지 모바일 결제를 이용하고 싶지는 않을 것이다. 여기에서는 시장에 출시된 대표적인 모바일 결제 솔루션의 보안 부분에 대한 분석을 통해 각 모바일 결제 솔루션이 비교될 수 있도록 했다.

## 바코드 모바일 결제의 보안 이슈

일회성 바코드 번호로 결제하는 절차에서도 직감했겠지만 바코드 모바일 결제는 보안성이 취약한 결제 솔루션군에 속한다고 할 수 있다. 그 이유는 여러 가지 있을 수 있다. 하지만 금융회사가 제공하는 금융상품[28]으로 결제하는 것이 아니라 결제수단과 연계되는 임시 인증방법이기 때문이다. 결제수단과 연계하는 과정에서 소요되는 IT기술의 보안 취약성이 문제될 수 있다. 각종 보조적인 부가수단으로 보안강화를 위해 노력하지만 IT 분야의 편리한 상품군에 익숙한 금융소비자에게는 불편하다고만 느낄 뿐이다.

바코드 결제가 모든 면에서 보안에 취약한 것만은 아니다. 신용카드 번호 또는 은행계좌 번호 등의 금융정보를 사용하지 않고 거래마다 새로 생성되는 일회성 바코드를 사용하므로 POS 단말기에 금융정보가 저장되지 않는다는 측면은 보안상 이점으로 보인다.

전용선이 아닌 공중 인터넷에 연결되고 PC와 같은 OS로 구동되는 POS 단말기에 저장된 결제자의 금융정보는 외부로 유출되지 않도록 관리되는 것이 중요한 부분인데 바코드 결제가 금융정보의 관리 면에서 유리하다고 본다. 또한 NFC 휴대전화에 RF 리더를 근접시켜 금융정보를 탈취하는 범죄로부터도 바코드 모바일 결제는 비교적 안전하다고 볼 수 있다. 그러나 결제수단 그 자체가 아니므로 결제과정에서의 안전한 처리를 위한 관리가 필요하다.

바코드 생성

〈바코드 모바일 결제 앱〉

먼저 결제를 위한 바코드는 거래마다 항상 생성돼야 한다. 그리고 모든 거래에서 중복되지 않는 것을 보장해야 한다. 이를 위해서는 보통 바코드 생성 서버로 연결해 서버에서 매번 생성한 것을 사용하게 된다. 바코드 서버에서 결제자의 휴대전화 앱으로 바코드를 전달하는 과정은 매우 중요한 보안통신 구간으로 암호화가 요구된다. 대칭키를 사용할 때 휴대전화 앱에서 안전한 관리를 담보할 수 없어서 비대칭키를 사용해야 할 것이다. 일회성 바코드의 유효기간은 보통 3~5분 정도이다. 멀티 앱의 구동이 이루어져 휴대전화에서는 바코드의 타임아웃 기능이 반드시 요구된다. 생성된 바코드가 다른 거래에서 사용되거나 타인이 훔칠 수 있기 때문이다.

결제 거래를 할 때는 휴대전화 앱을 구동시켜야 한다. 이때 앱 비밀번호를 설정해 타인이 결제 앱을 사용하는 것을 방지하기도 한다. 이것은 많은 솔루션이 사용자의 선택사항으로 남겨두고 있다. 바코드 번호를 생성할 때는 결제 비밀번호를 추가로 입력해야 한다. 사업자에 따라서는 숫자 이외에 문자의 조합을 요구하기도 하며 6자리 이상의 입력이 필요한 때도 있다. 정부의 규제가 특별히 없다면 결제 비밀번호의 설정을 간소화하고자 하는 것이 일반 사업자의 경향일 것이다.

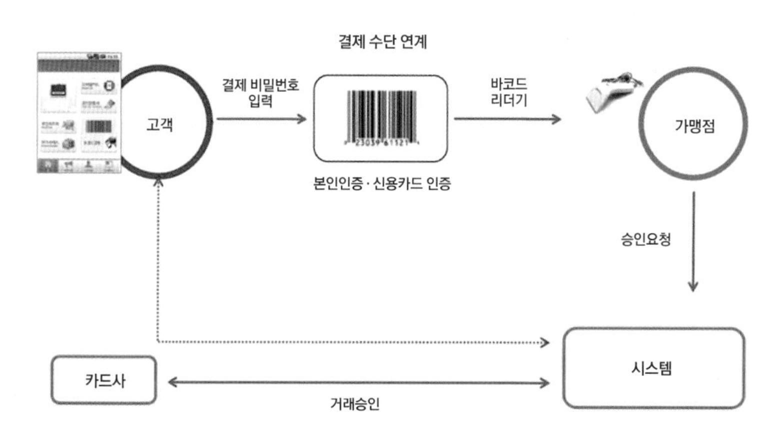


〈바코드 모바일 결제의 거래 승인과정〉

바코드 모바일 결제는 사전 등록돼 결제 시 연계되는 결제수단이 별도로 존재한다고 설명한 바 있다. 그 연계 결제수단이 은행계좌일 경우에는 자금의 이체에 은행계좌 이체 비밀번호가 필요하다. 즉 가맹점의 POS 단말기에 은행계좌 비밀번호PIN를 입력하는 것이 원칙이다. 그러나 휴대전화에서 설정해야 하는 여러 비밀번호의 입력이 거래의 안전을 일정수준으로 유지할 수 있다는 가정 아래 은행계좌 비밀번호의 입력을 생략하고 있다.

## 모바일 카드의 보안 이슈

유심 또는 금융 마이크로 SD카드 등의 보안매체에 발급되는 모바일 카드는 바코드 모바일 결제와 달리 단독 금융상품이다. 그러므로 모바일 카드로 직접 지급 거래에 사용될 수 있다. 보안매체가 국제규격[29]을 준용하고 있으므로 플라스틱 IC카드의 거래와 같은 것으로 취급받는 것이다. 시장에서는 모바일 카드의 금융계좌정보(신용카드 번호 및 유효기간 등)만을 이용해 간편 결제 혹은 바코드 결제에 연계해 결제하는 사례도 있는 것으로 보고되고 있다. 하지만 모바일 카드의 진성 거래로 보기 어려울 것이다.

모바일 카드의 보안수준이 타 모바일 결제 솔루션에 비해 높다는 것은 사실이지만 모바일 카드가 10여 년의 역사를 가진 솔루션이어서 현재의 특수상황에서는 때론 문제가 되기도 한다. 모바일 카드는 교통카드와 같이 결제 단말기에 근거리 비접촉 형식으로 결제하는데 금융정보의 유출이 결제자의 의식적 동의 없이도 가능하다는 점이 이슈가 된다.

버스나 전철과 같이 혼잡한 상황에서 부정한 목적을 가진 자가 무선 결제 단말기를 타인의 신체 주위에 근접시켰을 때 모바일 신용카드 정보를 탈취할 수 있다는 것이다. 이를 방지하기 위해서는 휴대전화의 앱(전자지갑)을 기동하지 않을 경우(고속결제) 금융정보를 반드시 암호화해 전송해야 한다.

〈고속결제에서의 무선 절취[30] 방지〉

모바일 카드의 보안성이 문제가 되는 부분이 편의점과 같은 소액 결제 환경에서의 사용이다. 카드의 사용이 확대되면서 만원 이하의 소액 거래에도 빈번해지고 있다. 편의점에서는 거래의 편의성을 제고하고자 서명 또는 PIN 입력과 같은 본인인증을 생략(3만 원 이하의 거래에 한정)하고 있고 그에 대한 관리가 필요하다는 것이다.

휴대전화는 지갑보다 자주 분실하는 소지품으로 타인이 습득해

인증절차 없이 소액결제를 반복할 수 있다는 가능성을 지적한 표현이다. 신용카드사의 승인 시스템에서는 모바일 카드 거래의 한도금액과 회수를 별도로 관리하는 때도 있으며 소액 거래가 이상 패턴 행태를 보일 때 경보를 발하는 부정사용 방지 시스템Fraud Detection System을 도입하기도 한다.

## 모바일 결제에서의 해킹 방지 방안

스마트폰에 설치돼 제공되는 모바일 결제를 이용하는 금융소비자로서는 그 세부적인 동작과 보안수준을 가늠키 어려울 수 있으나 금융회사라면 보안에 대한 분명한 원칙과 기준을 정립하고 있는 것이 중요하다. 비록 IT에 대한 전문적인 지식을 보유하지 않더라도 말이다.

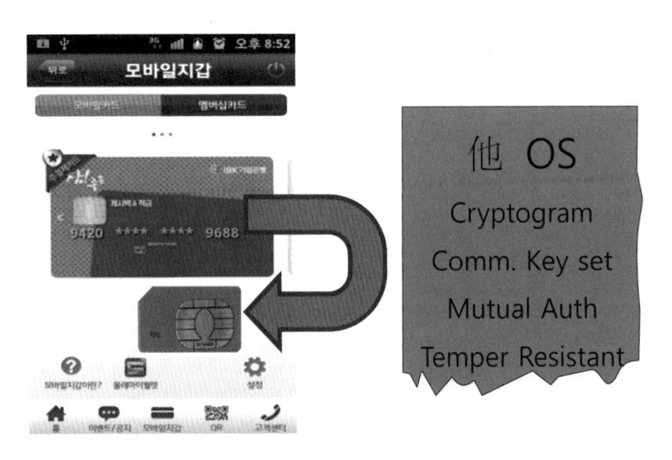


〈이종 OS에서 동작하는 전자지갑과 SE〉

어떤 모바일 결제 솔루션이 보안수준이 높은가를 가늠해보기 위한 기준 하나를 제시한다면 "금융정보를 저장하고 있는 곳을 관리하는 운영체제 OS가 휴대전화 앱의 것과 다른가?"이다. 부정한 목적으로 금융정보를 탈취하고자 설치된 해킹 툴은 휴대전화 앱과 같은 OS상에서 동작한다. 전자지갑 앱의 동작을 이해한다면 해킹 툴 제작도 동시에 이루어질 수 있다.

유심 모바일 카드가 보안수준이 높다는 이유이다. 안드로이드와 같은 휴대전화 운영체제와 달리 별도의 OS가 독립적인 하드웨어(유심) 기반으로 운용되기 때문이다. 해킹 툴은 금융정보가 저장된 유심에 접근하기가 매우 어려운데 OS의 구조와 동작이 다르기 때문이다. 해킹을 방지하고자 한다면 금융정보는 H/W 방식의 보안 매체에 저장하고 금융 앱은 사용자 인터페이스와 단순 프로세싱만 담당하게 해야 한다.

# 05 모바일 카드 활성화 정책

## 모바일 카드의 활성화 수준과 문제점

금융권은 제도나 법률로 관리 감독받고 있고 모바일 결제 분야에서는 모바일 신용카드가 가장 제도와 관련해 규제가 심한 것이 사실이다. 많은 전문가가 모바일 신용카드 사업의 성장을 이야기했지만 지나친 기대치를 고려하더라도 아직 신통치 않은 성장세를 보이고 있다. 원인은 여러 곳에서 찾을 수 있다.

국내는 모바일 신용카드의 더딘 활성화가 경직된 제도와 연관돼 있다는 의견이 있다. 대부분의 모바일 금융 서비스와 관련된 법률이나 제도는 신기술 등의 새로운 금융 서비스 환경에서 금융고객을 보호하고자 하는 취지로 제정되고 정비되어 가고 있다. 그래서 금융회사에서 모바일 금융 서비스를 제공하는 데 대한 제약사항을 포함할 수가 있다. 그러므로 모바일 금융 서비스와 관련된 제도와 법률은 이용 고객의 자유도Degree of Freedom를 침해하는 방향으로 작용해 활성화 저해요소 역할을 하기도 한다.

물론 전자 거래와 관련해 개인의 정보보호와 보안에 철저히 대비해 서비스를 제공하는 것이 금융회사의 당연한 소임일 것이다. 그러나 어떤 서비스는 법률적인 근거를 찾을 수 없는 절차인데도 관행적으로 전 업계가 같은 형식으로 서비스하는 때도 있다. 금융회사도 고객의 불편사항을 개선하길 바라고 있다. 하지만 신기술 분야에서 제일 먼저 과감히 개선하고자 하는 모험을 실행에 옮기기가 쉽지 않은 것이 현실이다.

일단 모바일 금융 서비스에 대한 이용 고객의 불편사항이 금융회사가 관행적으로 제공하는 것인지 법률이나 금융당국의 계도지침에 근거하는 것인지 우선 파악해야 할 것이다. 입법을 위해 개정 법률안을 제안하는 것과 금융당국의 계도지침을 개선하기 위한 요청 그리고 금융회사 자체적으로 업무를 개선하는 것은 가능성과 소요시간 측면에서 차이가 있기 때문이다. 여기서는 모바일 지급결제의 활성화를 위해서 개선돼야 할 제도에 관해 체계적으로 정리해 보고 그 해결책을 제시하고자 한다.

## 모바일 결제 활성화를 위한 제도 개선사항 제안

모바일 결제가 활성화되기 위한 전제조건으로 모바일 결제 인프라의 보급을 1순위로 꼽는다. 2012년 기준 약 2만 5,000여 개 신용카드 가맹점에 5만여 개의 모바일 결제 인프라가 전국적으로 설치돼 있다. 전체 200만여 개의 신용카드 유효 가맹점에서 차지하는 비중은 미미한 수준이다. 그러나 모바일 결제 인프라가 설치돼 운영되는 가맹점도 모바일 결제 건수가 낮은 수준을 보이는 것을 보면 또 다른 활성화 저해요소가 존재할 것이라는 추정을 안 할 수 없다.

최근 모바일 지급 결제수단은 다양한 형태와 방법이 제시되고 있다. 우리는 대면 결제수단과 비대면 결제수단으로 양분할 수 있다. 대면 결제라 함은 일반적으로 신용카드 가맹점에 별도의 기기 혹은 결제 모듈을 갖춰 신규 모바일 지급 결제수단을 수용하는 형태를 말한다. 모바일 지급 결제수단이 개인형 휴대기기, 즉 휴대전화에 탑재돼 있기 때문에 구매자의 결제정보를 가맹점에 전달하기 위해 휴대전화 화면에 생성된 바코드를 가맹점 리더로 읽거나 휴대전화 유심에 발급된 모바일 카드 정보를 RF 방식으로 가맹점 단말기로 전송하는 방법을 흔히 사용한다. 구매자의 금융정보를 가맹점 측으로 전달하지 않고 가맹점의 구매에 대한 청약정보를 구매자의 휴대전화로 전송해 결제하는 방식이 채택된 모바일 지급 결제수단도 소개되어 있다.

비대면 결제 부분의 모바일 결제수단은 더욱 다양한 결제방식이 존재하며 가파른 성장을 지속하고 있는데 인프라 비용투자에서 상대적으로 부담이 적은 면이 있었고 콘텐츠 등의 소액 결제시장에서 10여 년간 이미 확고한 위치를 점하면서 검증된 측면이 있다. 가장 대표적인 비대면 모바일 결제수단은 소위 폰빌 소액 결제수단으로 이동통신사로부터 구매자 본인을 조회한 후에 결제대금을 이동통신 요금에 합산해 청구하는 방식이다.

이동통신사에서는 자체적인 리스크 관리를 통해 폰빌 결제금액의 한도를 정하고 있다. 폰빌 결제 이외에 PC 인터넷 쇼핑몰 결제에서 주된 결제수단이던 안심결제 또는 안전결제 방법이 모바일 결제시장에서도 안착해 꾸준한 성장세를 보이고 있다. 앞서 기술한 바와 같이 모바일 지급 결제시장에는 영역별 다양한 지급 결제수단이 제공돼 있고 어떤 것은 뚜렷한 실적의 상승세를 이어가고 있다. 그러나 많은 모바일 지급 결제수단 중에서 유독 모바일 신용카드는 각종 규제에 묶여 있다.

모바일 신용카드는 여러 모바일 지급 결제수단 중에서 그 영향력이 크다고 할 수 있다. 첫째, 온라인과 오프라인 가맹점에서 모두 사용 가능한 수단이다. 둘째, 폰빌과 같은 거래 상한액이 없어 고액의 상품 구매도 할 수 있다. 셋째, 신규 지급 결제수단은 반드시 가맹점 계약을 해야 하지만 모바일 신용카드는 기존의 신용카드 가맹점의 계약내용과 결제 네트워크를 그대로 활용할 수 있기 때문이다. 넷째, 모바일 신용카드가 모바일 지급 결제수단 중의 주류가 될 수 있는 이유는 신용카드(또는 체크카드)가 국내 금융고객 가처분소득의 약 60퍼센트 정도 금액을 결제처리하는 수단으로서 우리에게 이미 익숙하기 때문이다.

이처럼 모바일 지급 결제가 본격적인 활성화 단계에 진입하기 위해서는 모바일 신용카드가 주요한 결제수단으로 자리 잡는 것이 필요한데 그 해결책을 찾기 위한 금융회사의 고민은 오랫동안 이어져 오고 있다. 모바일 신용카드에 대한 사용자의 불만사항을 들어보면 뜻밖에 불편한 서비스 방법과 절차에 있는 것을 알게 된다. 하지만 이를 개선하지 못하는 것은 전자금융 서비스에 관계된 여러 제도나 지침에 반해 금융회사가 전자금융 서비스를 제공할 수 없기 때문이다.

모바일 지급 결제수단 중에서 모바일 신용카드는 법률이나 제도에 아주 민감할 수밖에 없는데 이는 금융당국의 관리·감독을 직접 받고 있기 때문이다. 타 모바일 지급 결제수단은 사업 규모나 영역에서 비록 제한이 있으나 법률이나 제도에서 규율하는 면이 적어 상대적으로 자유롭게 실시할 수 있다.

이 글에서는 모바일 결제수단 중에서 제도와 관련이 깊은 모바일 신용카드를 집중적으로 살펴보고자 한다. 모바일 신용카드에 관한 모바일 금융고객의 대표적인 다섯 가지 어려움을 나열하고 각각의 원인과 관련 제도의 근거 그리고 이 글에서의 제안사항을 제시하는 구성과 순서로 기술하고자 한다.

## ● ● ● 공인인증서를 이용한 모바일 신용카드 발급 신청과 전자서명

모바일 신용카드를 발급받는 방법은 크게 유인 발급 서비스와 정보화 시스템이 제공하는 무인 발급 서비스가 있다. 유인 발급 서비스는 신용카드를 발급하고자 하는 자가 금융회사의 지점을 방문하거나 모집상담원과의 전화통화에서 본인임을 확인하는 과정을 거친 후 발급심사를 진행한다. 짧게는 다음날, 보통 수일 후에 신청자의 휴대전화로 모바일 신용카드를 발급할 수 있다는 문자 메시지를 전송한다. 신청자는 모바일 신용카드를 발급받는 데 필요한 휴대전화 애플리케이션을 설치하고 발급과정을 진행해야 한다.

무인 발급 서비스에는 모바일 신용카드를 발급하기 위한 신청자 본인의 행위만 있고 금융회사 직원이 개입된 발급 신청절차가 없다. 신청자는 발급 시스템과 연동하는 휴대전화 애플리케이션을 휴대전화에 설치하고 본인 인증절차를 거친 후 발급 가능한 모바일 신용카드를 선택해 신청하게 된다. 모바일 신용카드를 신청하기 위해서는 공인인증서를 제출해야 한다. 무인 서비스이므로 영업일과 영업시간에 제약을 받지 않을 뿐만 아니라 신청과 동시에 발급을 받아 결제 거래에 사용할 수 있다.

모바일 신용카드는 물리적인 카드를 제작하는 발급 공정이 없고 신청자에게 전달하기 위한 인편 송달의 과정도 없다. 모바일 신용카드는 이렇게 비용과 시간 측면에서 큰 이점이 있다는 것을 알 수 있다. 모바일 신용카드를 발급받으려는 신청자는 시간과 장소에 구애받지 않고 모바일 신용카드를 바로 발급받아 사용하고자 하는 욕구로 무인 발급 서비스를 이용하고 있다. 그러나 모바일 신용카드의 발급 신청을 위해서는 공인인증서가 필요하고 미처 본인의 휴대전화에 공인인증서를 설치하지 않은 신청자는 발급 신청을 할 수 없게 된다.

모바일 기기(휴대전화)에 공인인증서를 설치하기 위해서는 본인 공인인증서가 저장된 PC가 인근에 있거나 이동 저장매체를 지니고 있어야 한다. 설치하는 과정이 복잡해 많은 신청자가 어려움을 겪고 있다. 모바일 신용카드를 발급하고자 하나 발급하지 못하는 주요한 원인은 공인인증서의 설치 어려움으로 파악되고 있다.

여기서는 모바일 신용카드의 신청행위를 공인인증서 이외의 방법으로 더 간편하게 신청하는 방법을 모색해보고자 한다. 먼저 공인인증서를 사용하는 법률적인 근거를 관련법을 상호 참조해 정리해본다. 법률의 취지를 충분히 이해한 후 공인인증서 이외의 방법에 대해서도 법률적인 근거를 찾기로 한다. 또한 시행하기 위해 보완해야 할 제도를 검토할 것이다. 마지막으로 우리는 금융의 타 분야에서는 이러한 문제를 해결한 사례가 있는지 살펴보고자 한다.

여신전문금융업법 제14조는 신용카드 · 직불카드의 발급에 관한 사항을 규정한다. 제14조 ①항에서는 신용카드는 발급 신청행위가 있어야만 발급할 수 있음을 규정하고 있다(재발급 또는 대체 발급은 예외로 하고 있음). 제14조 ④항에서는 신용카드의 모집을 금지하는 방법에 관해 규정하고 있는데, 특히 제14조 ④항 2호에서 인터넷을 통한 모집방법은 공인인증서를 통해 본인인증을 해야 하는 것으로 규정하고 있다. 여신전문금융업법 제14조 ④항 2호와 시행령 제6조의 7 ④항이 모바일 신용카드를 발급받을 때 공인인증서를 사용하는 근거 조문이 된다.

근래에는 이미 발급받은 플라스틱 신용카드를 모바일 신용카드로 전환 발급받는 경우가 증가하고 있다. 은행 지점을 방문하지 않아도 되는 편리성이 있기 때문이다. 모바일 신용카드OTA 형식의 무선 네트워크 통신방법으로 실시간 발급이 가능하다. 따라서 고객 관점에서는 모바일 신용카드를 발급받기 위해 지점을 방문하고 대면해 본인을 확인하든가 또는 전화상담원을 통해 신청하고 수시간 혹은 수일 후에 발급 가능 상태가 되는 것은 이해하기 어려운 일이다.

**여신전문금융업법 제14조(신용카드 · 직불카드의 발급)**

| 조항 | 조문 | 개정일 |
|---|---|---|
| ①항 | 신용카드 업자는 발급 신청을 받아야만 신용카드나 직불카드를 발급할 수 있다. 다만, 이미 발급한 신용카드나 직불카드를 갱신하거나 대체 발급하는 것에 대하여 대통령령으로 정하는 바에 따라 신용카드 회원이나 직불카드 회원의 동의를 받은 경우에는 그러하지 아니하다. | 개정 2009. 2. 6 |
| ④항 | 신용카드 업자는 다음 각호의 방법으로 신용카드 회원을 모집하여서는 아니 된다.<br>1. 방문판매 등에 관한 법률 제2조 제5호에 따른 다단계 판매를 통한 모집<br>2. 인터넷을 통한 모집방법으로서 대통령령으로 정하는 모집<br>3. 그 밖에 대통령령으로 정하는 모집 | |

**여신전문금융업법 시행령 제6조의 7(신용카드의 발급 및 회원 모집방법 등)**

| 조항 | 조문 | 개정일 |
|---|---|---|
| ④항 | 법 제14조 제4항 제2호에서 "대통령령으로 정하는 모집"이란 신용카드 업자가 「전자서명법」 제2조 제3호에 따른 공인전자서명을 통하여 본인 여부를 확인하지 아니한 신용카드 회원모집을 말한다. 다만, 신청인의 신분증 발급기관·발급일 등 본인임을 식별할 수 있는 정보와 본인의 서명을 받는 방법 등으로 본인이 신청하였음을 확인할 수 있는 경우는 제외한다. | 개정 2009. 8. 5 |

이처럼 비대면 형식으로 본인의 휴대전화(무선 인터넷 환경)에서 시간과 장소에 구애받지 않고 모바일 신용카드를 발급받기 위해서는 공인인증서를 본인의 휴대전화에 설치해야 한다. 그러나 공인

인증서를 설치하는 단계에서 많은 사용자가 어려움을 겪는 것이 현실이다. PC 환경에서는 공인인증서가 정착단계에 이르렀다. 하지만 모바일 환경에서는 활성화를 저해하는 요소로 작용하는 것이 현실이다.

모바일 환경에서 공인인증서는 유효기간이 1년이라는 점, USB 이동저장장치를 늘 소지해야 하는 점 등의 요인으로 모바일 금융서비스에서 부정적 요소로 작용하는 면이 있다. 편리하면서도 법률에 저촉되지 않는 공인인증서 이외의 방법이 있다면 현재보다 사용자 저변을 확대하게 돼 모바일 뱅킹 및 카드 등 모바일 금융서비스는 더욱 활성화될 것이다.

우리는 여신전문금융업법 시행령 제6조의 7 ④항의 단서조항에 주목할 필요가 있다. 본인임을 식별할 수 있는 정보와 본인의 서명을 받는 방법으로도 인터넷에서 신용카드를 신청할 수 있다고 해석할 수 있다. 본 조항은 공인인증서가 본인을 확인하는 기능과 본인의 서명기능을 포함하고 있다는 사실을 알려준다. 신용카드를 발급하고자 할 때 공인인증서 외의 방법으로 신청하기 위해서는 본인인증의 절차와 본인서명의 행위가 있다면 가능하다는 의미이다.

일반적으로 본인인증의 절차에 사용되는 방법은 본인의 신분에 관한 정보를 질의해 확인하는 방법을 사용하고 있는데, 금융회사가 흔히 제공하는 방법은 본인의 신용카드 번호, 유효기간, CVC, 비밀번호, 주민번호 등을 질의해 본인을 확인하는 방법을 사용하고 있다.

**전자서명법 제2조(정의)**

| 조항 | 조문 | 개정일 |
|---|---|---|
| 1호 | "전자문서"라 함은 정보처리시스템에 의하여 전자적 형태로 작성되어 송신 또는 수신되거나 저장된 정보를 말한다. | |
| 2호 | "전자서명"이라 함은 서명자를 확인하고 서명자가 당해 전자문서에 서명하였음을 나타내는 데 이용하기 위하여 당해 전자문서에 첨부되거나 논리적으로 결합된 전자적 형태의 정보를 말한다. | |
| 3호 | "공인전자서명"이라 함은 다음 각목의 요건을 갖추고 공인인증서에 기초한 전자서명을 말한다.<br>가. 전자서명생성정보가 가입자에게 유일하게 속할 것<br>나. 서명 당시 가입자가 전자서명생성정보를 지배·관리하고 있을 것<br>다. 전자서명이 있은 후에 당해 전자서명에 대한 변경 여부를 확인할 수 있을 것<br>라. 전자서명이 있은 후에 당해 전자문서의 변경 여부를 확인할 수 있을 것 | 개정<br>2001. 12. 31 |

본인의 서명행위를 대체하는 방법에 관해 전자서명법 제2조 2호에서 근거를 찾을 수 있다. 제2조 3호가 공인인증서를 의미하는 반면, 제2조 2호는 전자문서에 첨부되는 전자서명을 규정한다. 휴대전화와 같은 이동단말기에서 전자펜으로 입력한 자필서명 이미지를 말하는 것이다. 여기까지 정리하자면 본인의 신상정보를 질의해 본인임을 확인하고 자필로 전자서명을 하면 모바일 신용카드를 모바일 인터넷 환경에서 신청할 수 있다는 결론에 도달하게 된다.

본인인증과 동시에 전자서명을 했을 때 계약상의 효력에 대해 언급한 조문이 전자서명법 제3조이다. 제3조 ②항에서는 공인인증서의 효력에 관한 규정이다. 서명 날인됐음과 그 이후 위·변조되지 않았음을 추정한다고 규정해 분쟁의 발생 상황에서 증명책임의 전환이 되는 강력한 효력조항으로 작용한다.

반면, 제3조 ③항에서는 공인인증서 이외의 방법, 즉 전자서명의 계약상의 효력을 규정하고 있다. 전자서명이 계약자유의 원칙에 따라 당사자 간의 효력이 있음은 본 조항이 규정하지 않아도 자명한 일이다. 하지만 제3조 ②항에서와 같은 증명책임의 전환에 대해는 언급하고 있지 않음을 알 수 있다.

**전자서명법 제3조(전자서명의 효력 등)**

| 조항 | 조문 | 개정일 |
|---|---|---|
| ①항 | 다른 법령에서 문서 또는 서면에 서명, 서명날인 또는 기명날인을 요하는 경우 전자문서에 공인전자서명이 있는 때에는 이를 충족한 것으로 본다. | 전문 2001. 12. 31 |
| ②항 | 공인전자서명이 있는 경우에는 당해 전자서명이 서명자의 서명, 서명날인 또는 기명날인이고, 당해 전자문서가 전자서명된 후 그 내용이 변경되지 아니하였다고 추정한다. | 개정 2001. 12. 31 |
| ③항 | 공인전자 서명 외의 전자서명은 당사자 간의 약정에 따른 서명, 서명날인 또는 기명날인으로서의 효력을 가진다. | 신설 2001. 12. 31 |

지금까지 모바일 신용카드를 인터넷 환경에서 비대면 형식으로 신청할 때 공인인증서 이외의 방법에 대해 법적인 근거를 확인해 보았다. 즉 본인확인과 전자서명의 방법으로 모바일 신용카드를 신청할 수 있다고 보아야 할 것이다. 다만, 계약상의 효력에 관해 공인인증서와 차이가 있는 것이다. 이를 보완한다면 유효한 모바일 금융 서비스로 채택될 수 있을 것으로 생각한다.

우리는 이 문제를 해결하기 위해 보험계약 체결 시 전자서명을 활용하는 사례를 참조할 필요가 있다. 금융위원회가 작성한 '전자서명을 통한 보험계약 체결 시 전자문서 작성 및 관리 기준'을 보면 전자서명이 전자서명법 제3조 ②항에서의 효력을 가지려고 추가로 갖추어야 할 구비요건을 명시하고 있다.

**전자서명을 통한 보험계약 체결 시 전자문서 작성 및 관리 기준**

| 기준 | 조문 | 비고 |
|---|---|---|
| 6.3 | 생성된 전자문서는 「전자서명법」 제4조에 따른 공인인증기관 또는 「전자거래기본법」 제31조의 2에 따른 공인전자문서보관소가 발급한 타임 스탬프, 공인인증서의 인증정보 등 무결성 검증정보를 첨부하여 별도의 보관장소로 지체없이 전송한다. 다만, 통신장애 등으로 전송이 어려운 경우 계약 당일 내에 전송할 수 있다. | |

전자문서에 전자서명을 하면서 공인인증기관이 제공하는 타임스탬프, 즉 시점 확인인증을 첨부하면 전자문서가 전자서명법 제3조 ②항에서의 효력을 실질적으로 갖게 된다고 볼 수 있다. 시점 확인인증은 전자문서를 통해 계약을 체결함에 계약내용과 계약체결 시간을 확인하는 타임 스탬프를 전자문서에 첨부함으로써 이후에 계약내용이 위·변조되거나 계약시점을 변경하는 것이 불가능해진다. 또한 그러한 시점 확인인증을 공인인증기관에 한정해 제공할 수 있게 함으로써 공신력을 갖게 했다. 시점 확인인증 서비스를 하는 공인인증기관은 보험에 가입해 계약분쟁에 대비할 수 있게 돼 있다.

전자서명은 '어떤 사람'이 '어떤 행위'를 했고 그 기록이 '사실임'을 보증한다. 반면, 시점 확인인증은 '어느 시점'에 '어떤 행위·문서'가 '실제로 발생·작성'했고 그 내용이 '변경되지 않았음'을 보증하는 것이다.

위와 같이 보험계약 체결 시에 전자서명과 시점 확인인증을 통해 공인인증서를 갈음할 수 있는 것과 같이 모바일 신용카드를 신청하면서도 같은 절차를 도입할 수 있을 것으로 생각한다.

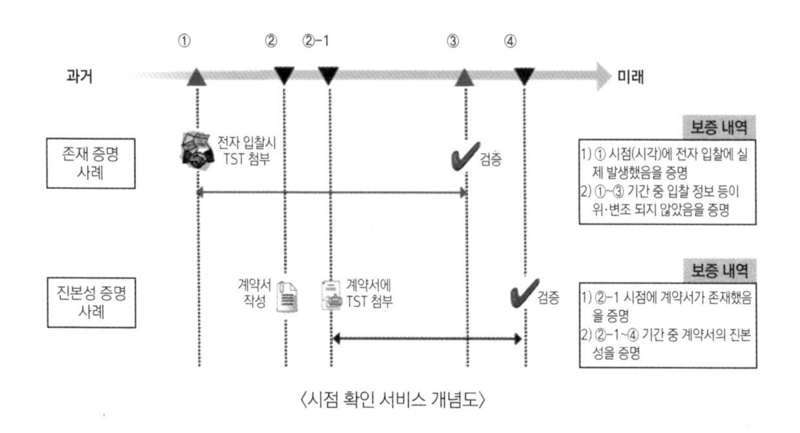

〈시점 확인 서비스 개념도〉

우리는 지금까지 공인인증서보다 상대적으로 편리한 전자서명으로 모바일 신용카드를 신청하는 방법이 여신전문금융업법 및 전자서명법 등 관계된 법률에 저촉되지 않음을 확인했으며 동종(금융) 분야인 보험업계에서 실제 업무에 적용된 사례를 살펴보았다.

바람직하게는 신용카드(모바일 신용카드)를 발급 신청하면서도 전자문서 작성 및 관리 기준을 조속히 마련해 모바일 신용카드 신청행위를 편리하게 하고 관련 모바일 전자금융사업이 활성화되기를 기대한다.

### ● ● ● 플라스틱과 모바일 형식의 동시 발급과 모바일 단독 발급

현재 시중에서 발급받을 수 있는 모바일 신용카드 상품 종류 개수는 수십 종에 달한다. 갑자기 모바일 신용카드가 활성화돼 다양한 상품이 출시된 것처럼 생각할 수도 있다. 하지만 기존에 사용하던 플라스틱 카드를 모바일 신용카드로 전환·발급할 수 있도록 한 결과에 불과하다.

한국은 신용카드 혹은 체크카드가 다양한 고객 혜택 위주로 상품이 구성돼 있다. 그렇다면 모바일 신용카드가 예상되는 모바일 신용카드 사용자 집단에 소구할 수 있는 혜택으로 상품을 구성해야 한다는 것은 굳이 전문적인 마케터가 아니더라도 알 수 있는 기본적인 상식이다. 예를 들어 통신요금을 파격적으로 할인해 주든가 또는 온라인 쇼핑몰에서의 특별한 혜택을 제공하는 모바일 신용카드 상품이 대표적인 사례가 될 수 있다.

시중 카드사에서 발급받을 수 있는 모바일 신용카드 상품은 대부분 이전에 발급된 카드 상품이 모바일 신용카드로 전환·발급된 형태이므로 고객에게 신규 카드 상품으로 인식될 수 없고 이를 발급받아 사용하고자 하는 강한 욕구를 느끼지 못할 것이다. 다만, 여러 장의 플라스틱 카드를 소지한 고객이 본인의 휴대전화에 설치된 전자지갑에서 통합 관리하기 위함이 신용카드를 모바일 신용카드로 전환·발급하도록 하는 동인은 될 수 있을 것이다.

만일 모바일 신용카드가 플라스틱 카드의 보조수단에만 그친다면 개인 생활에 편익을 가져다주는 도구 정도로만 인식될 것이다.

더 나아가 카드사에는 모바일 신용카드가 수익성에 아무런 도움을 주지 않는다는 사실을 알게 될 것이고 금융 서비스로서만 제공되는 비용요소로 전락할 것이다.

몇몇 신용카드사는 모바일 전용상품을 출시하기 위해 신규 플라스틱 신용카드 상품을 발급하고 있다. 모바일 라이프 스타일에 맞는 모바일 신용카드 전용상품을 제공하는 것이 목적이지만 발급받기 위해서는 은행 지점을 방문하거나 신용카드 모집인을 만나 대면 신청을 해야만 한다. 이는 신규 플라스틱 카드를 발급받기 위해 반드시 거쳐야 하는 절차이기 때문이다.

모바일 신용카드는 OTA 방식으로 발급하므로 비용과 시간 측면에서 경제적이며 고객에게 편리성을 제공할 수 있다. 그러나 플라스틱 카드를 먼저 발급받아야만 하는 것은 모바일 신용카드의 장점을 없애는 것으로 이런 어려운 여건 아래 모바일 신용카드가 많이 발급되고 활성화될 것이라는 기대는 요원한 일일 것이다.

우리는 시중의 신용카드사가 이러한 방식으로 모바일 금융 서비스를 시행하는 이유를 2008년 금융감독원의 지침에서 찾아볼 수 있다. 본 지침은 당시 신용카드사들이 신기술이었던 모바일 신용카드를 발급함에 보안성 심의결과를 통보하면서 첨부해 제공한 것이다. 사용자 인증과 개인정보를 보호하자는 취지로 마련한 본 지침은 '유심 신용카드는 실물 신용카드를 발급받은 고객에 대해만 발급'이라는 내용을 담고 있다.

모바일 신용카드가 도입되던 2008년 당시에는 이 지침이 개인정보 보호 측면에서 적절했던 것으로 보인다. 모바일 신용카드 결제 인프라가 턱없이 부족한 상황에서 모바일 신용카드를 발급받은 고객은 구매 거래에 모바일 신용카드를 사용할 수 없었다. 이것은 금융 관련 민원으로 이어져 큰 혼란을 일으킬 수 있었기 때문이다. 모바일 신용카드 결제가 가능하지 않은 가맹점에서는 동일 상품인 플라스틱 카드로 결제할 수 있도록 해야 한다는 금융감독 당국의 국민에 대한 배려로 이해된다.

또한 신용카드 상품의 혜택 대부분은 결제대금 실적 조건부로 제공되기 때문에 모바일 신용카드 결제 인프라가 없는 상황에서 모바일 신용카드만 발급할 때 고객의 불만이 발생할 수 있기 때문이다. 그러므로 플라스틱 카드가 기본 신용카드가 되고 모바일 신용카드가 보조적 수단이 돼야 고객 불편이 없어진다고 생각하면서 발급되는 모바일 신용카드 상품에 대한 업무 관행은 지금까지 계속되고 있는 것으로 보인다.

앞서 언급한 바와 같이 모바일 신용카드가 부가적 또는 보조적 수단이 돼서는 금융고객에게 크게 소구하지 못할 것으로 생각한다. 신용카드 상품은 고객 집단을 정교하게 분류해 타게팅하고 그 집단의 소비성향을 고려해 설계되는 것이 일반적이다. 예상되는 모바일 신용카드 고객 집단에 적합한 신용카드 상품을 고려하지 않은 채 기존에 발급된 플라스틱 카드 상품에서 전환·발급된 모바일 신용카드는 분명한 한계를 가질 수밖에 없다. 적어도 "신상품으로서의 매력은 없다."라고 단정지을 수 있다.

물론 신용카드사와 금융감독 당국의 금융고객에 대한 배려는 이해하지만 모바일 신용카드의 핵심가치를 이해하고, 본 관행의 근거 지침이 수년 전의 열악한 모바일 금융 서비스 환경 아래서 만들어진 것이라면 지금에 와서는 현 상황에 맞게 적절히 수정돼야 할 것이다.

2012년 3월 모바일 카드 결제가 가능한 가맹점은 3만여 개에 그쳤다. 6개월이 지난 2012년 8월에는 2배가 증가한 6만 개로 파악되고 있다. 사실 2005년에 이동통신사를 중심으로 보급된 모바일 카드 결제 동글은 50만 대를 웃돌았다가 사용연한의 경과와 모바일 카드 결제건수 실적이 낮아 자연 교체되고 있었다. 그러나 시장에서는 다시 모바일 결제를 긍정적인 시각으로 보고 있으며 2013년까지는 주요한 유력 브랜드 매장을 중심으로 30만 대 이상 회복될 것으로 보고 있다.

2012년 5월 현재 스마트폰 가입자는 2,500만 명을 넘어서고 있다. 인터넷 뱅킹 사용자 기반도 1,000만 명에 달하고 있다. 수년 전에는 모바일 결제에 필수적인 RF 통신기능이 일부 휴대전화 기종에만 한정돼 있었고 3G 기반의 피처폰이 주류를 이루고 있었다. 현재는 통신방식도 4G 기반으로 변경됐으며 대부분 스마트폰에는 NFC 기능이 탑재돼 있어 환경적 여건에서 과거와는 매우 다른 모바일 환경에 모바일 금융소비자는 놓여 있다.

금융소비자의 불편을 최소화하기 위해 마련된 업무 관련 지침은 시대와 환경이 변화했다면 이 역시 폐지되거나 개정돼야 할 필요가 있다. 과거에 만들어진 제도로 인해 현재 불편을 겪고 있다면 지침의 취지와도 배치되는 것이기 때문이다.

우리는 다음과 같은 개선책을 검토할 수 있을 것이다. 첫째, 다소

할인혜택이 부족하더라도 전월 실적 청구할인의 조건을 폐지하며 결제 시 확정적인 할인혜택을 부여할 수 있는 모바일 신용카드 전용상품을 출시하는 것인데 실적 합산을 위한 플라스틱 신용카드의 병행 발급을 막는 방안이 될 수 있을 것이다. 통신할인 등의 모바일 환경에 최적화된 모바일 신용카드 상품의 출시는 다소 부족한 청구할인제도에도 특정 집단에 소구할 수 있을 것이다.

둘째, 온라인 쇼핑몰 전용 결제 모바일 신용카드이다. 사실상 요즘 온라인 쇼핑몰에서 구매하지 못할 품목은 없다고 보아야 한다. TV나 컴퓨터와 같은 고가 공산품에서 채소나 생선과 같은 신선식품에 이르기까지 다양한 품목을 온라인(모바일) 쇼핑몰에서 판매하고 있다. 모바일 신용카드는 온라인 쇼핑몰 결제에서 그 진가를 발휘하고 있다. 이전에는 신용카드의 대체 인증수단을 도입해 부정사용을 방지하고 있었으나 모바일 신용카드는 대체 인증수단이 필요하지 않다.

고객 휴대전화에 발급된 모바일 신용카드로 직접 결제하기 때문에 가장 안전하고 편리하다고 말할 수 있다. 오프라인 신용카드 가맹점에 설치된 모바일 신용카드 결제 인프라가 부족한 문제를 온라인 쇼핑몰이 상당 부분 만회하고 있으므로 과거보다는 금융소비자의 불만제기 가능성이 경감됐다고 볼 여지가 있는 것이 사실이다. 하지만 고객 불편을 최소화하기 위해 온라인 쇼핑몰 결제만 허용하는 모바일 신용카드 상품을 고려하자는 의견이다.

셋째, 신용카드를 신청하는 시점에서 모바일 신용카드 신청 본인이 플라스틱 카드를 받지 않겠다고 의사표시를 하면 모바일 신용카드만 받을 수 있도록 하는 것이다. 금융회사는 시간과 비용을 절감할 수 있고 금융소비자는 모바일 신용카드의 즉시성 장점을 최대한 누리는 긍정적인 측면이 있다.

**모바일 신용카드 단독 상품(안)**

| 구분 | 내용 |
|---|---|
| 1안 | 실적조건부 청구할인제도 폐지 |
| 2안 | 온라인 쇼핑몰 결제 전용카드 출시 |
| 3안 | 플라스틱 카드 발급 유보에 대한 의사표시 |

우리는 모바일 신용카드가 플라스틱 카드와 병행 발급되거나 선 발급된 플라스틱 카드가 있어야만 발급되는 부자연스러운 금융 서비스에 대한 이유를 찾아보았다. 그리고 그것이 개선될 여지가 있음을 확인할 수 있었다. 여기서 내가 제안한 세 가지 내용은 모바일 신용카드 전용상품을 발급할 방안이 될 수 있을 것이다.

모바일 전용상품의 출시로 말미암아 금융고객은 은행 지점을 방문하지 않아도 되며 시간과 장소에 구애받지 않고 모바일 신용카드를 발급받을 수 있다. 플라스틱 카드를 제작하거나 고객에게 보내는 과정이 불필요한 모바일 신용카드의 이점은 발급사인 은행 측에도 큰 이득이 되며 궁극적으로는 비용 절감 측면이 금융고객에게 귀속돼 고객에 제공되는 혜택이 극대화될 수 있을 것으로 본다.

### ● ● ● 가족, 법인, 외국인에 대한 발급

2008년 3G 유심 모바일 신용카드 발급에 관한 지침을 보면 '신용카드 회원과 이동 단말기 소유자 일치 여부 확인 철저'라는 문구를 볼 수 있다. 또한 '유심 칩에 카드 발급정보를 수록하기 위해서는 기존 카드의 CVC 값을 포함한 고객정보(주민번호, 카드 비밀번호)를 입력'이라는 문구도 확인할 수 있어 신용카드를 신청한 본인을 철저히 확인할 것을 권고하고 있다.

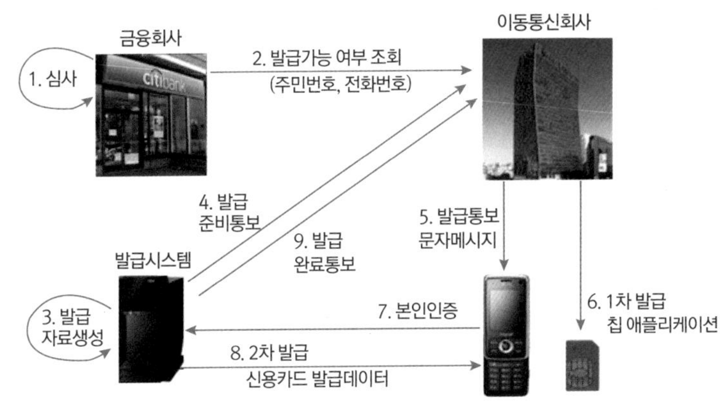


〈모바일 신용카드의 무선 발급절차〉

플라스틱 신용카드는 인편에 의한 송달을 통해 신청한 개인에게 전해진다. 반드시 신청 본인에게 전달하고 인수서명을 받는 것을 원칙으로 하고 있다. 반면, 무선 발급방식으로 전달되는 모바일 신용카드는 비대면 형식으로 송달이 이루어지므로 신청 본인에게 전달됐는지 확인할 별도의 절차가 필요했던 것이다.

실제 모바일 신용카드 발급절차에서 이동통신사의 역할은 매우 중요한 부분을 차지하고 있다. 금융회사인 신용카드 발급사는 모바일 신용카드를 신청한 고객의 주민번호와 전화번호를 이동통신사에 전송하고 그 고객이 모바일 신용카드가 발급 가능한지를 확인받는다. 구체적으로는 해당 고객이 유효한 이동통신 가입자로서 모바일 신용카드 발급과 사용을 할 수 있는 유심과 휴대통신 단말기를 보유하고 있는지를 조회하는 절차이다. 모바일 신용카드가 발급되는 매체인 유심을 관리하는 주체가 이동통신사이다 보니 이러한 이동통신사와 금융회사 간의 협업은 당연하다. 모바일 신용카드를 발급 신청한 개인에 대한 심사를 완료한 금융회사는 다시 이동통신사에 연락해 모바일 신용카드가 발급되는 데 필요한 칩 애플리케이션을 유심에 설치해 달라고 요청한다.

사실 모바일 신용카드 발급과정에서 '신용카드 회원과 이동 단말기 소유자 일치 여부'를 확인하는 것은 '모바일 신용카드를 신청한 본인이 모바일 신용카드를 수령(발급)하는지'를 확인하는 절차로 이해된다. 즉 이동 단말기의 소유자 여부는 모바일 신용카드를 개통하는 절차에서 핵심사항이 아닐 수 있다.

**전기통신사업법 개정(안)**

| 조항 | 내용 | 비고 |
|---|---|---|
| 제32조의 5 ①항 신설 | 누구든지 다른 사람의 명의로 가입된 통신 단말장치를 구입·판매하여서는 아니 되는 것으로 하되, 가입자 본인 또는 배우자의 직계 존·비속이나 법정대리인의 명의로는 가능하도록 함 | 18대 국회에서 처리되지 못해 19대 국회에서 재추진 예상 |

이동통신 서비스는 전기통신사업법에 따라 실명을 확인한 자에게만 개통돼야 한다. 이는 불법적인 이동통신 기기의 사용을 차단해 사회질서를 유지하는 데 필요한 것일 수 있다.

그러나 우리는 전기통신사업법에 저촉되지 않으면서 정상적으로 국내에서 이동통신 서비스에 가입해 사용하는 자가 상당수 있다는 사실과 이들이 이미 모바일 금융 서비스에 대한 불편사항을 가지고 있거나 곧 다가올 모바일 금융의 활성화 시기에 그럴 가능성이 높다는 것을 간과해서도 안 될 것이다.

국내에는 상당히 많은 수의 법인 명의 휴대전화가 개통돼 있다. 법인 명의의 휴대전화라고 하더라도 사용하는 자는 자연인인 법인의 임직원일 것이다. 법인 폰을 사용하는 임직원이 본인의 생활 편리를 도모하기 위해 모바일 신용카드를 본인이 사용하는 법인 폰에 발급받을 수 있도록 하는 것은 지극히 자연스러운 일이다. 불법적인 휴대전화의 사용이 아닌 경우임에도 이를 금지한다면 법인 폰을 사용하는 임직원이 모바일 신용카드를 발급해 사용하기 위해서는 별도의 개인 휴대전화를 하나 더 휴대하라는 것과 같다. 모바일 신용카드를 발급하게 하는 필요 중의 하나가 관리의 편리성이라고 알려졌는데 휴대전화를 두 개 지녀야만 모바일 신용카드를 사용할 수 있다면 법인 폰을 사용하는 임직원들은 모바일 신용카드에 대한 발급 필요성을 느끼지 못할 것이다.

또 하나 이 제도와 관련해 모바일 금융 서비스를 받지 못하는 집단에는 외국인이 포함돼 있다. 외국인은 사업이나 여행의 목적으로 입국하는 단기체류 외국인이 있고, 학업, 취업 등의 목적으로 장기체류하는 외국인이 있다. 외국인도 여권으로 본인이 확인되면 국내 이동통신 서비스에 가입할 수 있다. 보통 기명식 선불폰을 사용해 합법적이고 정상적인 이동통신 서비스를 이용하고 있는 것을 우리는 알고 있다.

국내에 다양한 목적을 가지고 입국하는 외국인의 수는 갈수록 증가하고 있다. 특히 인접 국가인 중국, 일본, 대만 등으로부터의 외국인의 수가 많은 것을 뉴스 등 각종 매체로부터 접하고 있다. 그런데 이들 국가에서도 한국과 마찬가지로 휴대전화를 통한 모바일 금융 서비스가 교통과 구매 거래에 시행되고 있어 외국인들에게는 익숙한 전자금융 서비스이다.

우리는 개방적인 시대에 살고 있어 인접 국가 상호 간에 많은 수의 사람들이 교류하고 있다. 국내에 입국한 외국인에게도 생활 편의시설인 교통과 결제 인프라를 사용할 수 있도록 하는 것은 더 많은 관광객을 유치하기 위해서도 필요한 사항이다. 최근에는 외국인 관광객에 의한 신용카드 사용금액도 가파른 증가세를 보이고 있다.

**최근 3년 간의 중국 은련카드 결제금액 규모 통계**(단위: 십억 원)

| 연도 | 2009 | 2010 | 2011 |
|---|---|---|---|
| 은련카드 매출 | 140 | 320 | 746 |

단기체류 외국인뿐만 아니라 국내에서 장기간 체류하면서 생활하는 외국인도 내국인과 동일하게 신용카드를 지급 결제의 주요

수단으로 사용하고 있으며 내국인에게 편리한 모바일 전자금융 서비스가 이들 외국인에게도 제공돼야 한다고 생각한다.

물론 외국인이 국내에서 사용하는 모바일 카드는 국내에서 결제되더라도 해당 거래를 매입하는 국내카드사와 외국인이 속한 국가의 카드사 간에 업무 제휴가 있어야만 하고 양 회사 간의 정산되는 국제카드 거래로서 해당 외국인에게 청구하게 된다.

앞서 언급한 법인의 임직원과 외국인의 두 가지 경우는 내국인에게 부여되는 주민번호가 없어 본인을 확인할 수 없다는 점이 가장 큰 문제이다. 현재 시중은행과 신용카드사의 모바일 신용카드 발급 시스템은 주민번호와 이동전화번호를 이동통신사로 전송해 본인 여부를 조회하고 있다. 그러므로 이 경우에 모바일 금융 서비스 사각지대가 생기는 원인은 제도에 있지 않고 신용카드사와 이동통신사의 업무처리 태도에 기인하는 것이다.

법인 임직원은 법인이 법인 명의로 개통된 휴대전화의 사용자가 해당 임직원을 확인해 주기만 하면 이동통신사에서는 확인된 법인 명의 휴대전화에 신용카드사가 요청하는 자연인(모바일 금융 서비스 신청인)의 모바일 신용카드 칩 애플리케이션을 유심에 설치해 줄 수 있다.

외국인은 내국인에게 부여되는 주민번호 대신 외국인 등록번호와 여권번호 등 다른 체계의 ID로도 본인 여부를 확인할 수 있어야 할 것이다. 외국인이 휴대전화의 정당한 사용자인 것은 이동통신사에서 손쉽게 조회할 수 있다. 다만, 신용카드사와 이동통신사의 업무가 이들에게까지 확대돼 서비스되지 않기 때문이다.

우리는 앞서 언급한 두 경우와는 또 다른 경우에 대해서도 대비책을 미리 생각할 필요가 있다. 그것은 모바일 신용카드를 발급하는 매체인 보안매체 SESecure Element로서 유심 이외의 것이 활용되는 경우이다. 유심은 이동통신사에서 관리하고 있다. 따라서 이동통신사에서 그들의 고객인지 확인해 모바일 금융 서비스를 신청한 자에 대한 본인인증을 대행할 수 있었다.

앞서 제안한 법인 임직원과 외국인에게 모바일 금융 서비스를 제공하는 방법에서도 결국은 이동통신사에서 그들의 이동통신 서비스에 가입한 고객임을 확인하는 신규 업무절차에 불과한 개선사항이었다. 그러나 모바일 신용카드가 발급되는 매체가 더는 유심이 아니라면 이동통신사에서 확인해줄 일이 아니고 다른 방법을 모색해 보아야 한다.

최근 SDSecure Digital 메모리카드에 보안기능을 갖춰 모바일 금융 서비스를 제공하려는 움직임이 국내에서도 활발하다. SD 메모리카드는 붙이고 떼는 것이 가능하며 개별적인 전자 부품으로 유통되는 품목이다. 유심은 통신 영역과 응용 프로그램 영역이 함께 있어 이동통신사에서 관리할 수밖에 없는 상황이었다. 그러나 붙이고 떼기가 가능한 형식 또는 휴대전화 내부에 빌트인built-in 형식으로 구현된 SD 메모리 소자는 이동통신사의 관리 범주를 벗어나게 돼 이에 대한 관리체계를 세워야만 원활한 모바일 금융 서비스를 운용할 수 있게 된다.

모바일 금융 서비스를 제공하기 위해서는 실명확인이 가능한 기명식 보안매체여야만 한다는 사실에 주목할 필요가 있다. 플라스틱 IC 신용카드를 발급할 때 IC칩을 신용카드사에 납품하는 제조사는 IC칩에 대한 초기 인증키를 설정해 안전하게 조달하는 책임을 담당한다. 신용카드 발급사에서는 IC칩에 신용카드 신청인의 개인정보와 발급정보를 기록하고 인증키를 변경해 갱신한다. 신용카드 신청인에게 IC칩 신용카드가 전달된 이후에도 신용카드 발급사는 특정 IC칩이 특정 개인에게 발급돼 사용되는 세부 현황 정보를 관리해 신용카드 프로세싱의 보안체계를 유지하며 개인정보를 보호하게 된다.

유심은 이동통신사가 신용카드 발급사의 매체관리 역할을 대행하고 있었지만, 유심 이외의 매체인 SD카드는 다른 방안을 고려하지 않을 수 없게 됐다. 첫 번째 고려할 방안은 신용카드를 발급하는 SD카드를 금융회사에서 인증해 배포하는 것이다. 모바일 신용카드를 발급하고자 하는 고객은 금융회사(은행 지점 포함)를 방문해 받거나 인편을 통해 SD카드를 전달받아야 한다. 고객이 전달받은 SD카드는 신용카드를 발급하려는 자의 소유로 이미 등록(기명화)돼 있다. 이후에는 이동통신사의 도움 없이 모바일 신용카드를 금융회사 단독으로 발급할 수 있다. 이것은 사실 플라스틱 카드를 발급하는 과정과 매우 유사해 익숙하지만 무선 발급의 장점을 퇴색시키고 활성화에 지장을 줄 가능성이 있다.

두 번째 고려할 방안은 모바일 신용카드를 발급할 수 있도록 한 SESDSecure Element SD카드를 자유롭게 유통하되, 모바일 신용카드를 발급하는 단계에서 금융회사가 단독으로 발급 매체인 SESD카드를 인증하고 발급하는 것이다.

2011년 전자서명법 개정 발의 안에는 포함됐으나 최종 개정안에서는 제외됐던 조항인 IT기기 등에도 공인인증서를 발급할 수 있도록 하는 것에 관한 건인데, IT기기 제조사에서는 공인인증기관으로부터 공인인증서를 전달받아 기기를 제조하는 시점에서 발급해 넣고 이를 시장에 유통하도록 하는 것이다. 공인인증서를 포함한 IT기기에 대해서는 이력을 추적할 수 있으므로 보안과 관련된 산업에서 유용하게 사용할 수 있다.

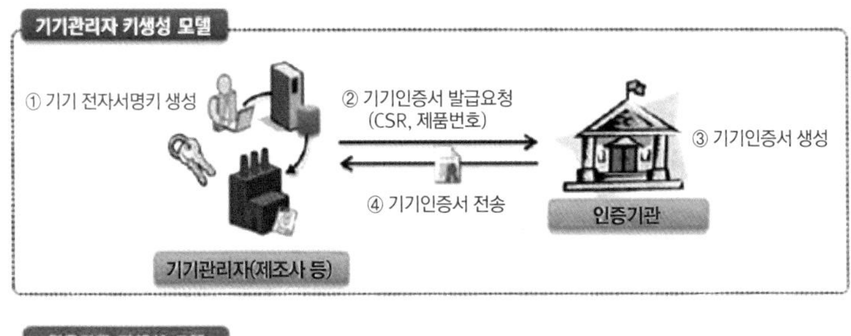


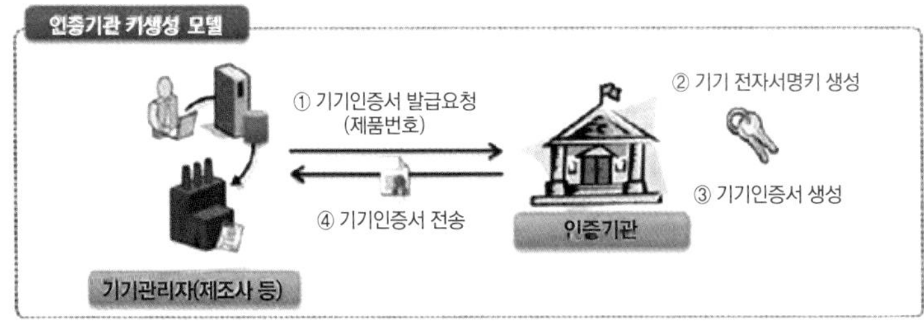


〈IT 기기 인증서 설치과정〉

여기서 제안하는 바는 SESD와 같이 유심 이외의 보안매체 SE Secure Element에 모바일 금융 서비스를 제공하기 위해서 기기 인증서를 활용하는 방안에 관한 것이다. 신용카드 발급사는 적법한 보안매체임을 인증한 이후에만 모바일 신용카드를 발급한다. 휴대전화의 특성상 SESD카드는 보통 한 개만 붙이고 떼는 것이 가능한데 여러 신용카드 발급사가 공동으로 이용할 방안이 될 수 있다. 다만, 모바일 신용카드를 발급하기 위한 IC칩의 마스터키를 어떠한 방식으로 공유하느냐 하는 관리문제만 남게 된다.

즉 모바일 신용카드를 발급할 때 모바일 신용카드를 신청한 본인과 이동 단말기 소유자가 일치하는지를 확인하는 것은 타인 명의 휴대전화가 불법적으로 금융 서비스에 이용되지 않도록 하고, 발급되는 모바일 신용카드가 신청 본인에게 정확하게 송달이 됐는지 확인하기 위해서도 필요한 절차로 이해된다. 그러나 적법하게 개통해 이동통신 서비스를 사용하고 있는 법인카드 임직원이나 외국인은 모바일 금융 서비스의 사각지대에 처한다는 사실을 인식할 필요가 있고 이를 해결하기 위한 신용카드 회사와 이동통신사의 업무 개선 노력이 필요함을 알 수 있다.

또한 가까운 장래에 빈번하게 출현할 것으로 예측되는 유심 이외의 보안매체에 대해서도 모바일 금융 서비스를 제공할 방안을 속히 마련해야 한다. 이동단말기의 소유 여부로 본인인증을 할 수 없는 경우이기 때문이다. 이동통신사에서 통합적으로 관리할 수 없으며 착탈도 가능한 IT기기여서 현재까지의 업무기준으로는 서비스 범위에서 제외될 수밖에 없다. 앞으로 전자서명법이 개정될 때는 반드시 IT 공인인증서에 관한 내용을 포함해야 이 부분에 대한 해결책을 마련할 수 있을 것으로 본다.

우리는 급격히 변화하는 첨단기술 속에 살고 있고 금융 서비스도 그 환경에 맞게 변화해야만 한다는 것을 알고 있다. 현재와 다른 과거 환경에서 마련된 제도나 관행을 수정 없이 현재의 전자금융 서비스에 획일적으로 적용하려고 한다면 제도의 취지도 실현하지 못하고 금융고객의 불편을 가져와 결과적으로 활성화를 가로막는 저해인자가 될 수도 있음을 명확히 인식해야 한다.

### ●●● 모바일 신용카드 고액 인터넷 구매 거래에서 공인인증서 제출 생략

전자금융감독규정 시행세칙 제31조는 모든 전자금융 거래에서 공인인증서를 사용하도록 규정한 제37조에 대한 예외규정이다. 공인인증서를 사용하지 않아도 가능한 전자금융 거래를 구체적으로 열거한 예시로서 각호의 내용이 구성돼 있다. 그 중에서도 우리는 제31조 4호의 내용에 주목할 필요가 있다. 인터넷 쇼핑몰에서 물건을 구매할 때 그 구매 금액 총합이 30만 원을 초과할 경우, 공인인증서를 추가로 제출해야 하는데 전자금융감독규정 시행세칙 제31조 4호는 이에 대한 근거규정이다.

**전자금융감독규정 시행세칙**

| 규정 | 내용 | 개정일 |
| --- | --- | --- |
| 제31조 4호 | 금융기관 또는 전자금융업자가 수행하는 전자금융거래 중 공인인증서 또는 이와 동등한 수준의 안전성이 인정되는 인증방법을 사용하지 않고 할 수 있는 전자금융거래는 다음 각 호와 같다.<br><br>4. 전자상거래에서 지급결제로서 30만 원 미만의 신용카드 결제 또는 온라인 계좌이체 | 개정 2010. 8. 12 |

전자금융감독규정 시행세칙 제31조와 제37조가 비대면 형식으로 이루어지는 인터넷 거래의 특성상 보안문제를 보완하기 위한 역할을 지금까지 충분히 해오고 있다고 말할 수 있다. 신용카드를 불법적으로 취득한 타인에 의한 결제를 차단하고 본인이 결제한 것을 부정하지 못하도록 하는 '부인방지'를 주요한 규정의 취지라고 이해할 수 있을 것이다.

그러나 전자금융감독규정 시행세칙 제31조와 제37조는 휴대전화 내부의 유심과 같은 보안매체에 발급되는 모바일 신용카드를 고려하지 못한 규정으로 보이며 시급히 개정돼야 한다. 인터넷 쇼핑몰에서는 신용카드 결제 단말기를 구매 고객에게 제공할 수 없으므로 신용카드 구매 거래를 하는 자가 신용카드 발급자인지를 확인하기 위해 여러 가지 개인 및 금융정보를 질의하고 있다. 이것은 안심결제 또는 안전결제 등의 서비스로 명명돼 비대면 거래에서의 신용카드 대체수단으로 자리 잡았다.

분명한 것은 비대면 거래의 신용카드 대체 결제수단은 임시적이며 보조적인 것으로 전자금융 거래의 보안성, 무결성, 자기 부인방지를 확실하게 담보할 수 없다는 사실이다. 반면, 휴대전화 내부의 보안매체에 발급되는 모바일 신용카드는 비대면 거래를 할 때 IC 신용카드 거래규약에 따라 칩 거래를 수행하므로 거래자와 신용카드사가 전자적으로 상호인증Mutual Anthentication을 하고 있어 가장 안전한 인터넷 비대면 거래로 알려져 있다.

전자금융감독규정 시행세칙 제31조와 제37조는 안심결제 또는 안전결제 등의 대체 결제수단으로만 인터넷 전자금융 거래를 해야 하는 것으로 오해할 소지가 있다. 모바일 신용카드 같은 경우에는 발급된 신용카드로 IC칩 거래를 직접 수행하므로 대체 결제수단에서 추가로 요구하는 공인인증서의 제출절차가 불필요한 것이다. 현재는 모바일 신용카드에서도 30만 원 이상의 비대면 구매 거래를 할 때는 공인인증서가 없으면 불가한 상황이다. 더욱 안전하고 편리한 모바일 금융 서비스가 활성화하도록 해야 하나 현실은 불필요한 절차를 부가해 기존 대체 결제수단과의 차이를 없애고 결과적으로 안전한 전자금융 서비스의 활성화에 역행하는 일이 돼버린 것이다.

최근 모바일 신용카드 비대면 거래의 상당수가 칩 거래를 하지 않고 비대면 대체 결제수단에 의존하고 있다. 현실과 동떨어진 모순된 제도와 관행에 의해 왜곡되는 전자금융 거래의 일면을 보여준다고 할 수 있다. 이를 해결하기 위해서는 전자금융감독규정 시행세칙 제31조 각호에 '모바일 신용카드로 이루어지는 IC칩 거래 방식에 의한 전자금융 거래'를 포함해 안전한 칩 거래로 이루어지는 모바일 신용카드가 공인인증서를 추가로 제출하지 않는 예외가 되도록 해야 할 것이다.

지난 2012년 5월 발표한 금융위의 IC카드 전환정책에 따르면 2013년 2월에 현금카드의 IC카드 교체로부터 시작해 2015년 1월에는 신용카드 구매 거래까지 모든 신용카드 거래를 전면적으로 IC카드 거래 형식으로 처리할 계획이라고 한다. IC카드 거래를 활성화하기 위해서 정부는 다양한 정책으로 시장을 유도할 것이고 신용카드사를 비롯한 금융권에 IC카드의 안정성에 대해 금융소비자를 대상으로 IC카드로의 교체에 관해 대대적인 홍보를 하도록 권고하고 있다.

앞서 언급한 대로 모바일 카드는 유심 형식의 IC카드이므로 정부의 IC카드 전환정책에 맞는 금융 솔루션이라고 할 수 있다. 그러므로 정부는 IC카드 전환정책의 하나로 모바일 카드 활성화를 포함해 정책을 추진하고 일선 금융사에 모바일 카드의 거래 안정성과 보안 우수성에 대해 대고객 홍보를 적극 수행하도록 권고해도 좋을 것이다.

### ●●● 모바일 신용카드 구매 거래 시 본인 인증방법에 대한 혼동방지

여신전문금융업법 제19조에는 가맹점의 준수사항에 대해 열거하고 있다. 신용카드 구매 거래를 하는 자가 신용카드의 정당한 발급자 본인인지를 확인해야 하는 것을 의무사항으로 규정한 것이다. 신용카드 발급자 본인 여부의 확인이 신용카드 구매 거래의 성립요건이 되는 것은 아니나 신용카드를 타인이 부정한 방법으로 사용해 분쟁이 발생할 때 가맹점에 대한 귀책요건에 해당한다는 의미이다.

신용카드 가맹점에서 구매 거래 시 본인 여부를 확인하는 방법은 여러 가지가 통용되고 있다. 가장 흔한 방법은 자필서명에 의한 것이다. 플라스틱 신용카드 뒷면의 서명 패널에 자필로 기록한 신용카드 발급자 본인의 서명과 가맹점 단말기에 부착된 전자서명 패드 혹은 신용카드 매출전표에 서명한 자필서명의 동일성 여부로부터 판단하는 일반적인 방법으로서 우리에게 가장 익숙한 것이기도 하다. 어떤 경우에는 신용카드 구매 거래 시 결제 비밀번호를 가맹점 단말기에 연결된 핀패드**PIN-Personal Identification Number PAD**에 입력하여 달라고 요구하는 때도 있다. 때로는 아무런 본인인증을 하지 않고 신용카드 구매 거래를 할 수도 있다.

**여신전문금융업법 제19조**(가맹점의 준수사항)

| 조항 | 조문 | 개정일 |
|---|---|---|
| 제19조 ②항 | 신용카드 가맹점은 신용카드로 거래를 할 때마다 그 신용카드를 본인이 정당하게 사용하고 있는지를 확인하여야 한다. | |

누구나 알고 있듯이 신용카드 거래는 후지급 거래수단으로서 신뢰를 바탕으로 거래함을 원칙으로 한다. 만약 신용카드 회원과 가맹점 양측에 일관된 거래양식을 제공하지 못해 혼란을 가져온다면 신용카드는 거래수단으로서 점차 수용되기 어려울 것이다.

최근에 모바일 지급 결제수단의 시장 도입기를 맞아 다양한 지불수단이 가맹점 단말기에 적용되고 있다. 지급 결제수단별로 대부분 유사한 면이 있으나 본인 인증절차와 방법에서 차이를 보여 모바일 금융소비자에게 혼란을 줄 우려를 낳고 있다.

모바일 신용카드도 규격에 따라서는 자필서명이 지원되지 않는 경우가 있다. 페어카드**Pair Card** 형식으로 발급된 모**母** 카드인 플라스틱 카드는 자필서명 본인인증으로 사용할 수 있지만 사실상 혜택이 같고 실적 합산이 이루어지는 동일상품인 모바일 신용카드에 대해서는 결제 비밀번호PIN만이 유효한 본인인증 방법이 되는 것이다. 이런 현상은 모바일 신용카드에는 플라스틱 카드 매체와 같은 서명 패널을 마련하기 어려운 측면에서 비롯된 것이다. 모바일 신용카드 도입 초기에는 자필서명 CVMCardholder Verification Method이 지원되지 않는 때도 자필서명으로 본인 여부를 확인하고 거래하는 잘못된 거래행태가 다수 관측되기도 한 것이 사실이다. 이와 같은 거래에서 분쟁이 발생할 경우 가맹점의 책임만 물을 수 없게 되는데 적절한 CVM을 제공하지 않은 신용카드사의 책임도 피할 수 없기 때문이다.

모바일 신용카드 거래에서 결제 비밀번호를 본인인증 수단으로 사용하기 위해서는 타인의 정보 취득으로부터 안전한 표준규격의 핀패드 보급과 함께 가맹점과 고객에 대한 충분한 계도가 있어야 하겠다. 실제로 국내 모바일 금융고객의 사용자들은 노출된 장소에서 결제 비밀번호를 입력하는 행위를 극도로 꺼리는 현상이 발생하고 있다.

이러한 CVM에 대한 혼란과 기피현상은 무서명 거래No CVM 가맹점을 출현시키고 있다. 무서명 거래는 빠른 거래처리를 요구하며 소액 거래금액이 주류인 편의점을 중심으로 확산되고 있다. 대개 5만 원 이하의 거래에 대해서는 신용카드사와 가맹점 간의 특약을 맺어 무서명 거래를 하는 것이다. 무서명 거래가 모바일 지급 결제 수단의 다양한 CVM으로부터 고객과 가맹점의 혼란을 경감시켜주는 것은 사실이나 신용카드의 위험관리 측면에서는 무턱대고 채택하고 확산할 수 있는 CVM이 될 수는 없을 것이다.

휴대전화는 빈번하게 분실하는 소지품이다. 따라서 모바일 신용카드는 과거보다 사고처리 면에서 주의를 기울일 필요가 있다. 모바일 신용카드 발급자가 분실신고를 하기 전까지 모바일 신용카드는 무서명 거래 가맹점에서 횟수에 제한 없이 구매 거래에 이용될 수 있기 때문이다.

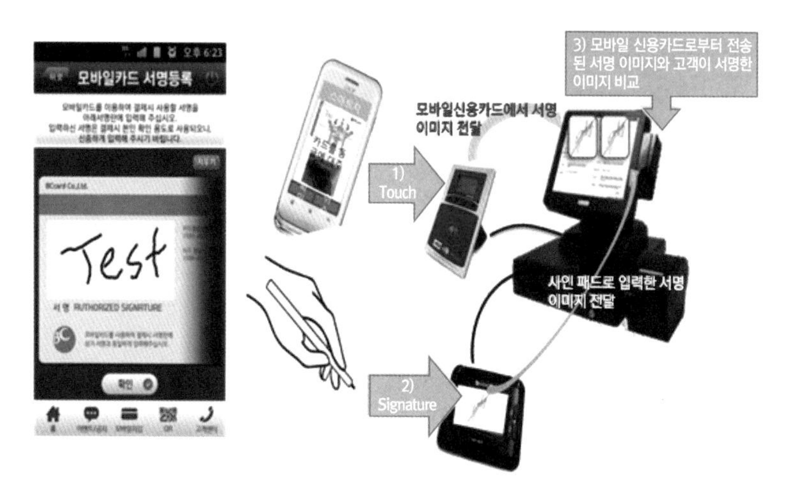


〈KS규격 모바일 신용카드의 구매 거래 시 자필서명을 이용한 본인인증 절차〉

모바일 지급 결제수단의 활성화를 위해서는 신용카드 가맹점에서 일관성 있는 CVM을 사용자에게 제공해야 할 것이다. 또한 본인인증 절차가 없는 편리성도 좋지만 본인의 모바일 신용카드가 부정한 방법으로 쉽게 사용될 수 있다는 우려도 없앨 수 있어야 활성화를 기대할 수 있을 것이다.

이러한 현 상황의 문제점을 정리하기 위해서는 포괄적인 가맹점의 본인 확인 귀책요건만 규정한 여신전문금융업법 제19조 ②항으로는 해결하기 어려운 것이 사실이다. 전자금융감독규정 등의 계도지침에 모바일 신용카드의 본인인증에 관한 다음의 사항을 포함하는 것이 바람직할 것으로 보인다.

첫째, 플라스틱 신용카드를 모母 카드로 하는 모바일 신용카드는 모 카드와 같은 CVM을 제공해야 한다. 이는 신용카드 발급자에게 혼란을 최소화하기 위함이다. 둘째, PIN과 같은 CVM만 제공하는 모바일 신용카드는 표준규격의 핀패드를 갖춘 신용카드 가맹점에서만 거래하도록 해야 할 것이다. 모바일 신용카드 사용자의 중요 정보 유출에 대한 불안감을 없애려는 조치이다. 셋째, 가맹점과 신용카드사가 특약을 체결해 무서명 거래를 하는 경우는 신용카드사가 해당 카드의 무서명 승인금액과 건수를 합산해 위험관리를 하는 경우에만 한정하도록 하는 것이다. 이러한 개선책은 신용카드사와 가맹점 그리고 사용자 모두에게 이로운 제도로서 작용하리라고 생각된다.

## 어떻게 모바일 카드를 개선해야 하는가?

정보통신기술은 현대인의 생활을 전반으로 편리하게 변화시키고 있으며 금융 분야에서도 예외 없이 그 영향은 크다고 할 수 있다. 인터넷의 발전으로 전자금융의 눈부신 성장을 맛본 한국의 전자금융산업은 이제 스마트폰 보급으로 새로운 모바일 전자금융 시대로 접어들고 있다. 전자금융 소비자의 수준에 맞추어 금융 서비스에 ICT기술을 접목해 선진적인 모바일 전자금융 서비스를 제공해야 하는 것은 거스를 수 없는 큰 흐름이라 하겠다. 다만 금융회사가 제공하는 모바일 전자금융 서비스는 정보 보호를 빈틈없이 해 안전하면서도 편리한 모바일 전자금융 서비스가 되도록 해야 한다.

이 글에서는 모바일 전자금융 서비스에 안전장치 역할을 하는 법률과 제도가 시대와 상황에 맞게 개선돼야 모바일 금융 발전을 기대할 수 있음을 알려주고 있다. 전자금융 소비자를 보호하기 위해 수년 전에 마련된 제도가 지금에 와서는 불합리한 것으로 판단되기도 한다. 전자금융 자체가 기술적으로 근본적으로 문제가 있는 것으로 여겨져 외면당하기까지 하는 것이다.

우리는 오래전부터 모바일 전자금융 서비스에 대해 큰 기대를 해왔다. 그러나 아직은 활성화하기에는 이르며 몇 년 더 기다려야 할 것이라는 부정적인 의견이 업계에 팽배한 것이 사실이다. 모바일 전자금융 제도를 개선하지 않고서는 시간이 지나면 저절로 문제가 해결되고 모바일 전자금융 서비스가 활성화되리라고는 생각하지 않는다.

이 글에서는 규제산업인 금융 서비스에서 금융소비자에게 신기술인 모바일 신용카드를 제공할 때 보수적인 제도로 인해 개선하지 못하는 대표적인 사항에 대해 다루고 있다. 모바일 신용카드는 대표적인 전자금융 서비스로서 높은 보안성과 업무절차의 간소화로 비용 경제적인 측면에서는 금융회사에도 장점이 있고 관리와 편리함 측면에서는 금융소비자에게도 편익을 주고 있다.

앞으로는 가맹점 측면에서도 정부의 제도나 금융회사의 정책 등으로 인한 장애요소를 도출하고 해결하기 위한 방안을 연구하는 것도 필요하다고 본다. 예를 들어 단일 결제환경에서 선급·교통·신용·직불카드 등의 결제수단이 통합돼 있고 QR·바코드·RF 등의 다양한 정보 전달수단이 설치돼 운용됨으로 인한 혼동은 모바일 결제에 큰 장애가 될 수 있을 것이다.

금융당국과 금융회사는 모바일 전자금융 서비스를 단순한 정보기술로 다루어서도 안 될 것이지만 지나친 제약사항을 부가해 모바일 전자금융 서비스에 대해 유쾌하지 못한 경험을 하게 해서도 안 될 것이다. 다시 말하지만 전자금융 제도는 금융산업의 발전을 위해 반드시 필요한 것이다. 그러나 항상 전자금융 소비자의 시각에서 살펴보아 개선할 점이 없는지 점검해야 할 관심대상임을 잊지 말아야 하겠다.

국내에 설치된 RF 단말기에서는 비자, 마스터카드, KS규격이 적용돼 있다. 그 외 규격은 적용돼 있지 않다. 접촉식 IC카드 규격은 DFS의 규격인 D-PASS 및 중국 은련 규격인 PBOC규격이 단말기에 적용되고 있다. 그러나 모바일 카드 및 비접촉식 카드를 위한 규격은 국내에 적용된 단말기가 없어서 사실상 상기 3개 규격 외에는 사용할 수 없다.

제2장

# 모바일 카드 규격

모바일 카드 중 SE Secure Element를 이용하는 모바일 카드의 규격과 기술 방향에 대해서 정리했다. SE는 현존하는 가장 안전한 매체인 IC카드를 기반으로 서비스를 제공하고 있다. 또 그에 따라 모바일 카드 규격과 기술 방향을 이해하는 데는 기존 IC카드에 기반을 둔 기술환경과 규격에 대한 이해가 필수적이라 볼 수 있다. 이에 IC카드의 기술적인 구조, 규격, 거래를 위한 외부 통신 규격인 NFC, NFC 상에서 실질적인 거래처리를 담당하는 애플리케이션의 규격을 정리했다.

# 01 IC카드 개요

보안 및 범용성의 장점으로 현재 금융 및 통신 분야에서 널리 사용되고 있는 IC카드는 1970년대에 특허 출원이 되며 세상에 알려지게 됐다. 초기의 IC카드는 상업적으로 성공한 솔루션은 아니었으나 자기띠 방식의 카드 불법복제 및 이에 따른 부정사용에 대한 이슈에 따라 1980년대에 들어서며 공중전화용 카드를 기점으로 본격적으로 보급되기 시작했다.

IC카드는 기존 자기띠 기반의 신용카드와 같은 크기의 플라스틱 카드에 ICIntegrated Circuit를 내장했다. 이 카드는 기존의 단순한 저장 기능만 제공하고 저장된 데이터의 변조 및 이용에 대한 권한관리가 불가능한 자기카드와는 달리 마이크로프로세서CPU와 메모리를 내장시켜 보안 알고리즘에 의해 권한에 따른 정보 보호기능과 암호화 기능을 이용한 전자서명 등의 기능 등을 수행할 수 있다. 또한 자기에 약한 기존의 MS카드보다 안정성이 높아 지워질 염려가 없고 수명이 길며 위조할 수 없는 높은 보안성 때문에 대부분 국가에서 금융 서비스를 위한 매체로 사용되고 있다.

IC카드 내에 카드 제조사, 카드 발행자, 서비스 제공자가 비밀키를 지정해 비밀키에 대한 연산을 검증한 후 내부 자료에 대한 접근 및 수정을 제공하는 보안기능을 기본으로 가지고 있다. 또 멀티 애플리케이션을 지원하는 카드는 카드 내의 자료저장 영역을 애플리케이션별로 나눠 각 애플리케이션에서 지정한 조건을 만족하는 경우에만 접근하도록 하고 있다. 특히 각 시스템에서 필요한 서비스를 애플릿APPLET이라는 애플리케이션을 통해서 공통 설치 및 관리하는 기능도 제공하는 카드 OS인 COSChip Operating System가 내장된 IC카드도 증가하고 있다. 자기카드와 IC카드를 비교하면 아래와 같다.

| 형 태 | MS카드 | IC카드 |
|---|---|---|
| 용 량 | 800바이트 | 16킬로 바이트 이상 |
| 읽기·쓰기 권한 | 자유 | 권한 필요 |
| 보안성 | 불법적인 정보 변경 용이 | 불법적인 정보 변경 불가능 |
| 저장 데이터 | 숫자 | 영어, 숫자 |
| 장점 | 저렴한 가격 | 보안기능, 다용도성 |
| 단점 | 보안 취약, 저용량 | 고비용 |
| 복합 애플리케이션 지원 | 최대 3개이나 현실적으로는 단일 애플리케이션만 지원 | 메모리가 허용하는 한 무제한 |

IC카드는 자기방식의 카드와 달리 내장된 CPU와 메모리를 이용해 카드와 외부 장치 간 통신에서 전달하는 데이터 및 입력의 제어가 가능하다는 장점이 있으나, 외부로 명령을 내리는 식으로 능동적인 작동을 할 수 없다. 단말기와 같은 외부 장치의 명령에 따라 데이터를 처리하고 응답하는 수동적인 작동방식을 가지고 있으나, 카드 내의 모든 데이터의 읽기 쓰기에 대해 액세스 조건에 따라 비밀키와 같은 중요 데이터를 보호하는 기능은 IC카드의 핵심이라 할 것이다.

IC카드는 이러한 기능을 지원하기 위해 여러 종류의 카드 명령들을 지원하고 있다. 또 서로 다른 카드들의 호환성을 보장하기 위해 명령어들은 ISO7816에 의해 표준화가 진행되고 있다. 하지만 기본적인 명령을 제외한 비자카드와 마스터카드 같은 각 카드 브랜드사의 IC카드 애플리케이션들은 각각의 업무 지원을 위해 고유한 명령어들을 가지고 있다. 위와 같은 고유의 명령은 서로 다른 형식을 가지고 있으므로 호환되지 않는다.

## IC카드 구조

IC카드는 IC칩을 고정하는 카드바디와 IC카드의 핵심인 IC칩, 그리고 IC칩을 외부와 연결해 동작에 필요한 전원, 클럭, 통신을 위한 인터페이스 연결을 위한 모듈로 구성돼 있다. 칩의 위치, 특히 모듈은 8개의 핀으로 배열돼 있다. 그들은 다음의 그림에서 보는 바와 같이 외부와의 연동을 위해서 ISO7816에 규격이 정의돼

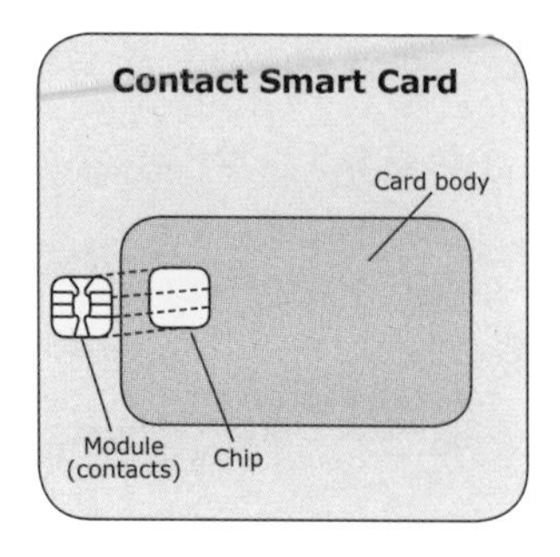


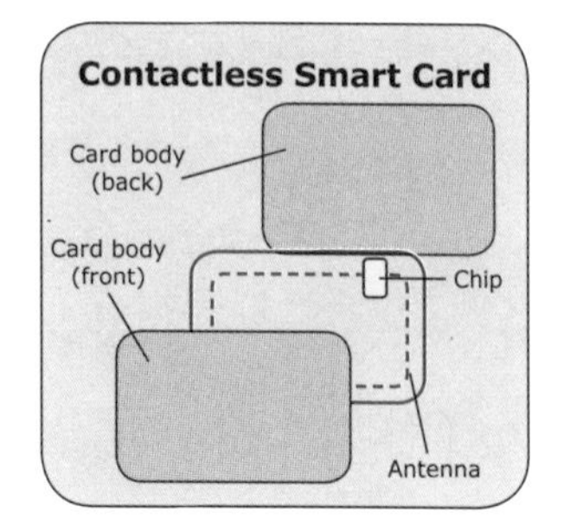


있다. 비접촉식 카드의 경우 칩과 외부와의 연동을 위한 안테나가 연결돼 있으며 안테나를 통해서 동작에 필요한 전원, 클럭, I/O 등을 같이 처리하고 있다.

| | | | |
|---|---|---|---|
| VCC | C1 | C5 | GND |
| RST | C2 | C6 | N.C |
| CLK | C3 | C7 | I/O |
| NC | C4 | C8 | PROG |

| PIN 배열 | |
|---|---|
| C1 | IC칩 구동을 위한 전원 공급 인터페이스 |
| C2 | IC칩 동작을 위한 초기화 구동처리 인터페이스 |
| C3 | IC칩 동작을 위한 클럭 공급 인터페이스 |
| C4 | 미사용 |
| C5 | 접지 |
| C6 | 프로그램 전압(미사용) |
| C7 | 데이터 입출력 (실제 APDU 명령처리) |
| C8 | 미사용 |

# IC카드의 H/W 구조

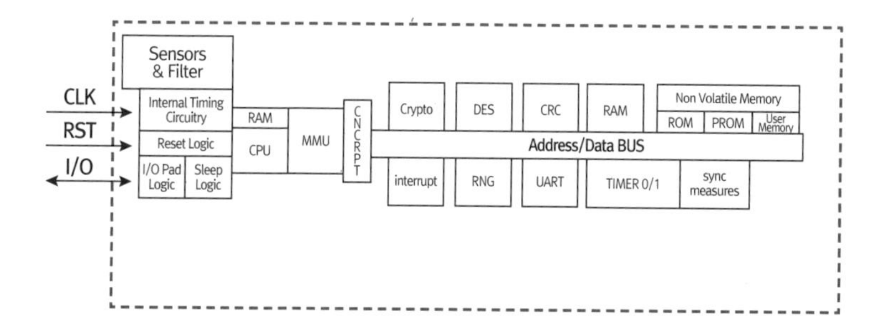


상기 구조에서 보는 바와 같이 IC카드 내에는 컴퓨터 시스템에 필요한 CPU, 메모리, 저장장치 등 최소한의 H/W만 가지고 있으며 시스템을 동작시키기 위한 전류 및 클럭 생성은 외부 장치에 의존한다. 이러한 설계로 IC칩은 카드와 같이 크기 및 두께에 제한이 있는 장소에 설치될 수 있다는 장점이 있다.

다만 외부에 클럭 및 전원을 의존함에 따라 LOW 클럭 및 전원 소비 계측을 통한 해킹에 취약한 단점을 가진다. 이러한 해킹으로부터 내부 키 및 데이터를 보호하기 위해서 연산과 관계없는 랜덤한 전원 소비 및 스크램블 등의 적용을 통해 메모리 영역 보호 대책을 적용하고 있다.

OS 및 프로그램 저장을 위한 메모리는 전원이 공급되지 않더라도 지속적으로 저장된 데이터를 보관 하여야 한다. 이러한 저장 메모리는 롬ROM과 이이피-롬EEPROM으로 나누어진다. 그 중 롬ROM은 리드 온리 메모리Read Only Memory의 약자로 대부분의 IC카드에서 롬은 마스크롬Mask ROM을 의미한다. 롬에 저장될 데이터는 IC칩의 제조단계에서 반도체 회사에 주문하여 저장되며 대량생산에 특화된 방식으로 저장된 데이터의 변경은 제조 변경을 통해서만 가능하다. 이러한 롬의 특성상 사용 목적에 따라 데이터를 가변적으로 변경하면서 사용하기에는 부적절하다. 롬에 저장되는 데이터는 변경이 적은 OS 및 기본 프로그램을 설치하는 데 사용한다.

기본 프로그램 외에 추가 프로그램과 카드의 발급 데이터 및 키를 저장할 필요가 있다. 이 데이터는 롬과 같이 제조단계에서만 수정할 수 있는 메모리가 아니라 프로그램을 통해서 저장할 수 있는 기능이 요구된다. 이를 위해서 사용되는 이이피-롬은 전기적 재기록 가능 롬Electrically Erasable Programmable Read Only Memory의 약자로 데이터의 저장 및 변경을 프로그램을 통해서 전기적으로 수행할 수 있다. 대부분의 IC카드는 이를 이용해 발급 데이터 및 추가 애플리케이션을 저장하는 데 사용한다. 다만 이이피-롬은 삭제 및 저장이 바이트 단위로 이루어지기 때문에 저장 및 삭제 속도가 다른 매체에 비해 느린 단점이 있다.

값이 싸고 대량생산에 용이하나 수정을 위해서는 제조공정을 수정해야 하는 롬과 사용자의 필요에 의해서 저장 및 수정기능을 제공하나 속도가 느린 이이피-롬을 활용하기 위해서 두 개의 메모리를 혼합하여 사용하고 있었다. 그러나 최신 IC카드 및 유심USIM 등의 SESecure Element에서는 저장 및 수정이 자유로우며 속도도 빠른 플래시메모리를 이용해 통합하는 추세이다.

IC카드는 데이터의 복제방지 및 중요 금융 데이터의 누출을 방지하기 위해 단순한 메모리 저장 외에 인증, 권한관리, 데이터의 암·

복호화를 위한 연산 등의 기능을 수행하는 컴퓨터처럼 연산 및 권한관리체계를 가지고 있다. 이를 수행하기 위해서 IC카드는 운영체계 실행 및 내부 연산처리를 위한 CPU를 가지고 있다. 초창기 8비트 CPU가 대부분 이용되었으나 16비트 및 32비트의 CPU를 이용하는 IC카드도 증가하고 있다.

IC카드에서 사용하는 CPU 자체의 프로세싱 파워는 크지 않아서 키를 이용한 서명 데이터 생성 등의 처리를 위해 RSA·DES·AES·SHA-1 등의 암·복호화 연산을 CPU에서 처리 하지 않고, 암호연산을 위한 전용 보조 프로세서를 별도로 가지고 있다. 이러한 암호처리를 위한 전문 프로세서를 제공함으로써 처리 속도의 효율성 및 전력 절감에 장점을 가진다.

## IC카드의 운영체계

IC카드는 단순한 네이티브 OS 방식의 스태틱STATIC 카드에서 다양한 서비스의 제공이 가능한 OS를 지원하는 카드로 확장돼왔다. 단일한 서비스를 위해서 IC카드가 구성되고 서비스가 변경될 때마다 IC카드의 하드웨어 및 소프트웨어를 변경하는 것은 비효율적이다. 그에 따라 많은 IC카드 제조사에서는 서비스를 변경하는 경우 새로운 하드웨어가 필요 없이 OS에 올라가는 애플리케이션으로 신속한 서비스 지원 및 개발비용을 절감할 수 있는 장점에 따라 많은 IC카드 개발업체에서는 이를 위한 OS를 구현하고 서비스를 제공했다.

그러나 이러한 각 사가 만든 업체 고유의 OS를 만드는 것은 업체 안에서만 해당 장점을 이용할 수 있으며, 서비스를 도입해서 운영하는 운영사 입장에서는 서비스가 IC카드업체에 종속적으로 운영이 되는 단점을 해결하지는 못했다. 각각의 IC카드 개발사에서 자체 개발한 OS는 호환이 불가능하다. 자사의 IC칩 하드웨어에 특화된 기능으로 사용하는 애플리케이션 및 OS도 각 사의 하드웨어에 종속되는 한계를 여전히 지니고 있었다.

이에 이러한 폐쇄적인 카드 OS에서 벗어나, 새로운 개방형 플랫폼에 대한 요구사항이 업계에 대두되었으며, 그 중 윈도즈Windows로 PC OS의 대부분을 차지하는 MS가 개발한 Smartcard for Windows와 마스터카드의 자회사로 있던 몬덱스Mondex가 개발한 멀토스MULTOS, 개발언어로 급속히 영향력을 발휘하기 시작한 자바JAVA 기반의 오픈 플랫폼open platform이 개방형 IC카드 운영체계로 업계에서 영향력을 발휘하기 시작하였다.

특히 이 책에서 다루는 모바일카드는 이러한 IC카드의 개방형 OS를 실시간으로 이용하여 고객이 원하는 시점에 모바일카드를 직접 설치하는 서비스(후 발급)가 시행되고 있다. IC카드의 OS의 특성에 따른 장단점은 다음 표와 같다.

| 운영체제 | 장점 | 단점 |
|---|---|---|
| 업체 고유 OS | • 표준 OS탑재를 위한 라이선스 비용 및 개발비용의 절감으로 저비용<br>• 사용되는 칩에 최적화 되어, 표준화된 OS에 비해 속도가 빠르다. | • 카드 발급 및 관리를 위한 API가 카드 제조사에 종속적<br>• 고도화된 관리 및 다기능의 요구사항에 대한 대응 어려움<br>• 카드 제조사에 따라 관리 시스템의 변경이 필요함 |

| | | |
|---|---|---|
| 윈도를 위한 스마트 카드 Smartcard for Window | • 비주얼베이직 기반으로 개발이 용이<br>• MS에서 제공하는 SDK 등의 자료가 풍부 | • 인터프리터 기반으로, 처리 속도가 느림.<br>• 윈도즈 서비스에 특화되어 타 OS 대비 범용성이 부족하다. 또 지원하는 칩 제조사가 한정적임 |
| 멀토스 Multos | • 가장 보안적으로 강화된 카드 OS 이며, 표준 OS 중에서 가장 빠른 속도를 제공한다<br>• 저속의 CPU에 특화 | • 어셈블리어 기반의 MEL 언어 사용으로 애플릿**APPLET** 개발이 어려움 |
| 자바Java OS | • 자바 기반의 프로그램 언어로 개발 생산성 높음<br>• 글로벌 플렛폼 등의 표준 및 인증 체계가 잘 정립되어 있음<br>• 대부분의 USIM 및 금융 IC카드에서 표준으로 적용됨 | • 개발을 위한 라이선스 비용이 높음<br>• 자바의 특성상 실행 속도에서 타 OS에 비해 불리 |

### ● ● ● 윈도를 위한 스마트카드 Smartcard for Window

PC용 운영체계를 주도하는 마이크로소프사에서 제안한 스마트카드용 OS 플랫폼이다. PC 애플리케이션 개발자들이 PC용 애플리케이션과 연동하는 것을 주 목적으로 구현 되었으며, 비주얼베이직**Visual Basic**을 개발언어로 지원하며 IC카드 관련 지식이 부족하더라도 비 핵심적인 IC카드의 많은 부분에서 애플리케이션을 개발할 수 있는 도구를 제공하고 있다.

특히 마이크로 소프트사에서 개발한 아웃룩**Outlook** 등의 오피스 소프트웨어들과 윈도즈 로그온 등 윈도 기반의 서비스 연동에는 많은 장점이 있으나 자바 카드와 같이 인터프리터에 기반한 구조는 처리속도에서 불리하다는 단점을 가진다. 개발언어 및 제공하는 서비스 면에서 금융 서비스를 위한 애플리케이션 보다는 PC와 의 연동 처리를 위한 애플리케이션에 특화되어 있다.

### ● ● ● 멀토스 MULTOS

멀토스는 멀티-애플리케이션 스마트카드 OSMulti-application smart-card operating system의 약자이다. 전자화폐 개발 운영사인 영국의 몬덱스에 의해서 개발되고 멀토스 컨소시엄에서 개방형 표준으로 운영하고 있다. 25개 이상의 기업이 컨소시엄에 참여해 만들어졌으며 마스터카드에서 운영했다. 현재는 호주의 키코프Keycorp에서 운영하고 있다. 멀토스의 논리적인 구조는 이하와 같다.

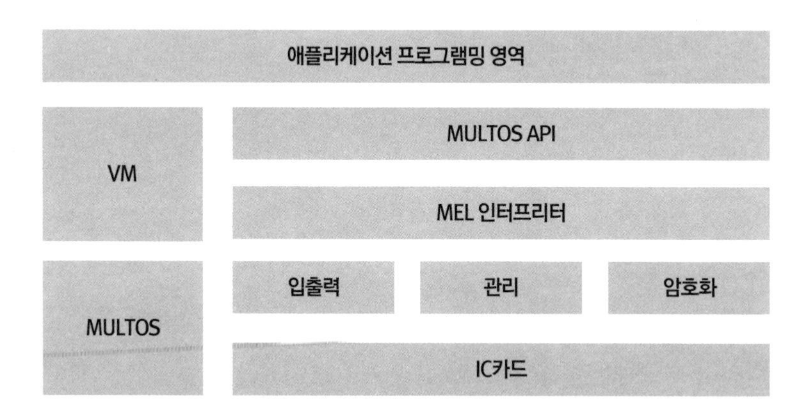


개발을 위한 언어는 MEL이라는 어셈블리어 기반의 언어 외에도 C 또는 자바로도 가능하다. 자바는 글로벌플랫폼용으로 개발된 애플릿을 포팅할 때 사용되며 멀토스에서는 C언어를 통해서 개발하도록 권고하고 있다.

### ● ● ● 자바 OS

대부분의 IC카드의 OS로 사용되고 있다. 특히 SE Secure Element 기반의 모바일 카드는 자바 OS를 기반으로 서비스되고 있다.

자바 OS인 글로벌플랫폼은 1999년부터 IC카드에서 다수 애플리케이션의 관리 및 운영을 목적으로 산업계가 모여서 만든 포럼이다. 현재 IC카드 운영체계로 가장 많은 지지를 받고 있다. 과거에는 문서로 만들어진 규격만 제안하고 실질적으로 IC카드가 규격대로 개발됐는지를 테스트, 검증, 인증하는 절차는 없었다. 대부분의 IC카드사에서는 비자 글로벌플랫폼으로 인증을 받아 실질적인 글로벌플랫폼 카드는 적었으나 규격에 대한 검증 및 인증하는 절차가 정비되고 비자 글로벌플랫폼이 더는 인증을 제공하지 않음에 따라 빠른 속도로 글로벌플랫폼이 확산되고 있다.

# 02 NFC의 개요

NFC는 니어필드 커뮤니케이션Near Field Communication의 약자이다. 단거리에서의 무선 데이터 통신을 위한 규격이다. 2004년 NFC 기술의 글로벌 표준을 주도하기 위해 소니와 노키아 등이 주축이 돼 결성됐으며, 여기에 지급결제 사업자인 비자 및 마스터카드가 참여하면서 휴대전화를 위한 근거리 통신규격으로 특화된 모습을 보이고 있다.

비접촉식 통신은 기본적으로 사용자가 플라스틱 카드 또는 휴대전화를 단말기에 접근하면 자동으로 처리되도록 규격화돼 있다. 특히 통신에 사용되는 전파를 이용해 플라스틱 카드 및 SESecure Element에 전류를 공급할 수 있어 휴대전화의 전원이 꺼져 있는 상태에서도 비접촉식 통신이 가능하다.

## NFC 통신

NFC 통신을 위한 비접촉식 프로토콜은 기존에 RF ID 및 RF IC 카드를 위한 국제표준인 ISO/IEC 14443과 펠리카FELICA의 3가지가 존재하며 각각의 프로토콜의 특성은 아래와 같다.

| 표준 | ISO/IEC14443A | ISO/IEC14443B | FELICA |
|---|---|---|---|
| 주파수 대역 | 13.56 Mhz | 13.56 Mhz | 13.56 Mhz |
| 데이터 변조 | 100% ASK | 10% ASK | 10% ASK |
| 속도 | 106kbps | 106kbps | 212kbps |
| 이용거리 | 10cm 이내 | 10cm 이내 | 10cm 이내 |

비접촉식 통신에서 사용되는 규격은 ISO/IEC 14443A와 ISO/IEC 14443B에 규정돼 있다. 또 대부분의 비접촉식 단말기는 ISO/IEC 14443A와 ISO/IEC 14443B 모두 지원한다. 다만 일본과 일부 국가에서는 ISO/IEC 14443 대신 펠리카라는 별도의 비접촉식 통신규격을 사용하고 있다.

### ● ● ● 마 이 페 어 MIFARE

마이페어는 네덜란드의 NXP 반도체에서 개발한 RF IC 규격이다. ISO 14443A와 일부분에서 호환된다. 최초로 출시된 마이페어 제품은 RF로 읽고 쓰기가 가능한 메모리카드로서 교통카드나 전자화폐 등의 금융 솔루션을 위해 보안 등에 중점을 두고 개발된 제품은 아니었다. 다만 비용이 저렴하고 자바 카드나 멀토스 카드와 같이 별도로 IC카드용 애플릿을 개발할 필요 없이 칩 자체가 제공하는 메모리 영역에 대한 기초적인 암호화 및 보안을 제공함에 따라 시스템 구축이 간편해지는 장점이 있어 초기에 주로 교통카드로도 사용됐다.

마이페어는 메모리카드 기반으로 개발된 만큼 모델별로 다르나 여러 개의 메모리 영역을 보유하고 있다. 각각의 메모리 영역은 각각의 키를 통한 인증 후 데이터를 읽거나 쓰는 업무를 수행할 수 있다.

마이페어의 단순한 데이터 구조는 타 규격보다 보안성이 떨어지는 단점이 있으나 1회용 RF티켓 등 비용이 저렴하고 보안상의 요건이 강하지 않은 산업 부문에서는 타 규격 대비 장점을 가지고 있다. 다만 초창기에 교통카드로 보급된 마이페어 카드는 해킹 사고 등 보안상의 약점이 많이 노출돼 점차 교통카드 시스템에서 사용되지 않는 추세이다.

또한 이러한 보안상의 이슈로 소액 결제가 대부분인 교통카드 및 소액 결제 외에 고액 결제가 발생하는 신용 거래를 위한 규격으로는 사용되지 않고 있다.

### ● ● ● 펠리카 FELICA

펠리카는 소니가 개발한 독자 규격으로서 일본의 철도회사인 JR에서 교통카드 규격으로 확정된 후 일본의 교통카드 인프라를 중심으로 대규모로 보급됐다. 이제는 일본 내 상업용 비접촉식 결제 규격으로 정착되어 사실상의 표준으로 사용되고 있다. 특히 도코모의 전자지갑 서비스인 '오사이푸케이타이'의 비접촉식 처리를 위한 규격으로 사용되며 교통카드 외에 휴대전화를 통한 비접촉식 결제 등으로 확장되고 있다.

펠리카 규격은 처리 속도 및 인식률 등에 장점이 있으나 국제 규격이 아닌 국내 산업표준 규격으로서 국외의 기술과 호환되지 않는 문제가 있다. 특히 프로토콜만을 규정하고 그 위에서 동작하는 OS 및 애플리케이션에 대해서는 각각의 해당 사업자가 결정할 수 있게 구성된 ISO/IEC 14443A/B와 다르게 펠리카는 일본에서 단말기와 인증을 위한 키 관리를 포함한 오프라인 인증을 위한 비밀키 방식의 인증체계를 같이 구성해 서비스하고 있다. 이러한 펠리카의 단일화된 인증 시스템은 교통카드나 전자화폐와 같이 오프라인 기반의 결제에는 많은 장점을 제공하고 있으나 국외로의 확장 및 국외 서비스와의 호환 측면에서 불리한 단점을 가지고 있다.

특히 펠리카를 도입한 산업계인 NTT 도코모, 소니, JR은 펠리카 네트워크라는 자체 TSM 서비스를 운영하며 TSM을 통한 서비스 발급 수수료 등을 취득하는 구조로 운영되고 있다. 이러한 사업 모델을 운영하기 위해서 펠리카 서비스를 위한 키가 내장된 펠리카 칩과 단말기의 개발 및 인증·운영까지 포함하는 일본 독자적인 서비스 모델이 개발됐다. 이를 통해서 펠리카를 이용하는 가맹점 단말기의 보급 확대 등 일본 내의 모바일 결제시장이 확대되는 장점은 있었으나, 일본 국내 중심의 펠리카 네트워크 중심의 통합구조는 국외 서비스와 호환이 어려운 단점에 따라 글로벌 표준 규격인 ISO/IEC 14443A/B 기반 서비스의 요구사항이 증가하고 있다.

위에서 알아본 바와 같이 일본에서의 펠리카 서비스는 NFC에서 프로토콜만 규정한 서비스 아닌, 일본에 특화된 서비스이다. 이와 같은 이유로 이하의 규격과 같이 펠리카 프로토콜이 NFC에 포함은 돼 있으나 실질적으로 펠리카를 지원하는 휴대전화가 일본을 제외하고는 없다. 일본 국내에서도 펠리카 기능 및 NFC 기능으로 구분해 표시하고 있다.

## NFC 규격

NFC 규격은 2004년에 NFCIP-1Near Field Communication-Interface and Protocol-1이 ISO/IEC 18092 규격으로 승인을 받았다. NFCIP-1은 ISO/IEC 14443A, 마이페어와 펠리카를 지원하는 규격으로 ISO 표준이 되지 못한 필립스의 마이페어와 소니의 펠리카를 지원하기 위한 목적이 컸다고 볼 수 있다. 그러나 그 후 확장 규격인 NFCIP-2Near Field Communication-Interface and Protocol-2가 ISO/IEC 21481로 승인 받음으로써 표준화된 ISO/IEC 14443B를 포함하는 통신규격으로 확대됐다.

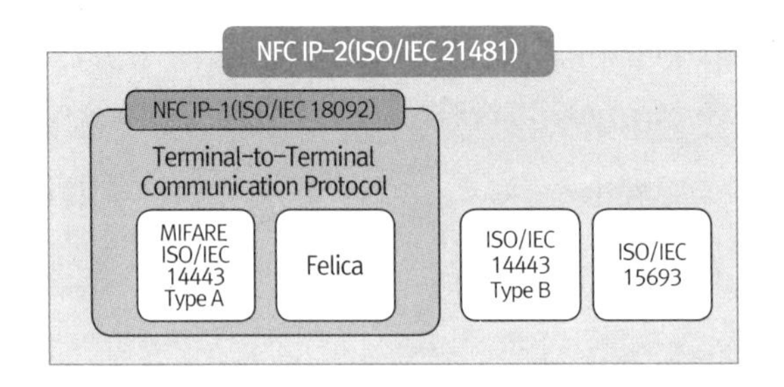

위의 규격체계에서 보는 바와 같이 NFC 규격은 단순한 하나의 규격이 아니라 교통카드로 널리 사용되는 마이페어 기술과 신용카드를 포함한 금융카드 및 면허증 등 정부기관이 발행하는 ID카드에 이용되는 ISO/IEC 14443A/B, 일본의 교통카드와 전자화폐의 프로토콜 규격인 펠리카, 물류 등에서 사용되는 RF ID 기능을 포함하는 광범위한 규격의 집합체로 볼 수 있다. NFC 각각이 갖는 서브 규격의 주된 사용처는 다음과 같다.

| 규격 | 사용처 |
| --- | --- |
| 마이페어MIFARE | 교통카드, 1회용 RF 티켓 |
| ISO/IEC 14443A/B | 운전면허증 등 전자 ID, 신용 등 금융카드 |
| 펠리카FELICA | 일본 내 교통카드 및 신용카드 등 금융결제 외에 쿠폰 등의 부가서비스도 지원 |
| ISO/IEC 15693 | RF ID 규격 |

## NFC 동작 모드

위에서 알아본 바와 같이 여러 복합된 규격을 포함하는 NFC는 RF-ID의 기술을 기반으로 한다. 그러나 단순한 RF카드 기능을 확장해 카드 에뮬레이션 모드**Card emulation mode**, 리더·라이터 모드**Reader/Writer mode**, P2P 모드를 지원하고 있다. RF IC는 한쪽이 패시브**PASSIVE**(카드), 다른 한쪽이 액티브**ACTIVE**(단말기)로 단방향으로만 통신하도록 구성돼 있으나 NFC는 P2P 모드를 추가해 양방향 통신을 지원해 다양한 서비스에 대응하고 있다.

| 모드 구분 | 카드 에뮬레이션 모드 | 리더·라이터 모드 | P2P 모드 |
|---|---|---|---|
| 세부내용 | RF-IC카드를 에뮬레이션하는 모드. NFC의 가장 기본이 되는 동작 모드이다.<br>패시브 형식으로 동작함에 따라 전력소비 등의 이슈에서 자유스러우며, 그에 따라 단말기의 상태와 관계없이 동작이 가능하다. | RF-IC 단말기를 에뮬레이션하는 모드. 동작 시 주변에 존재하는 RF-IC카드를 지속 검색한다.<br>액티브 형식으로 동작함에 따라 해당 모드에서는 추가적인 전력소비가 필수이다. | RF-IC에는 없는 NFC만의 기능이며 액티브 형식으로 동작한다. |
| 서비스 영역 | 모바일 카드 | RF카드·모바일 카드 리더(동글) | 휴대전화 간의 데이터 통신 |
| 필요 전원 | 소량 | 대량 | 대량 |
| 안드로이드에서 동작 시점 | 항상 | 화면이 켜진 경우 | 화면이 켜진 경우 |

### ● ● ● 카드 에뮬레이션 모드

비접촉식 카드에서 금융 거래를 위해 이용하는 통신기술인 ISO/IEC 14443 및 펠리카를 지원하는 모드이다. ISO/IEC 14443은 대부분의 금융 거래를 위한 비접촉식 통신에 사용되고 있으며 국내에서는 대부분의 최신 교통카드에 사용되고 있다. 그러나 외국에서는 교통카드 외에도 플라스틱 신용카드까지 확장되고 있으며, IC카드의 보안성과 처리 속도가 빠르다는 장점으로 차세대 금융통신기술로 가장 많이 사용되고 있다.

카드 에뮬레이션 모드는 패시브 모드라고도 하며 휴대전화 통신을 위해 별도로 데이터를 보내거나 외부 장치를 찾는 행동을 하지 않고, 리더·라이터 모드에서 동작하는 NFC를 지원하는 휴대전화나 NFC 리더에서 웨이크업WAKE UP 신호에 반응해 동작하게 돼 있다. 그에 따라 해당 동작 모드에서는 전력소비가 적으며, 기존에 있는 RF 유심을 이용한 서비스를 제공할 수 있다.

전원 없이도 동작할 수 있는 RF 유심과 달리 무선통신을 위한 NFC칩은 동작을 위해 최소한의 전원이 필요하며, 그에 따라 배터리가 제거되거나 전원이 꺼지면 동작하지 않는다. 일부 제조사에서는 전원공급이 끊기더라도 NFC 칩에 전원을 지속 공급해 카드 에뮬레이션 모드에서 동작하도록 하고 있다

카드 에뮬레이션 모드는 NFC를 지원하는 안드로이드계의 스마트폰에서 기본이 되는 통신방식이며, NFC 동작 모드 중에서 가장 전력소비가 적고 효율적이기 때문에 기본적으로 항상 동작하는 장점이 있다. 따라서 이 모드를 지원하는 모바일 카드들은 휴대전화 화면이 꺼져 있거나 앱의 구동과 관계없이 항상 동작한다.

SESecure Element 기반의 모바일 카드 규격은 모두 이 모드를 통해서 서비스되고 있다. 이 모드로 동작 시 통신규격은 ISO/IEC 14443A, ISO/IEC 14443B 또는 펠리카 중에서 하나를 고정해 사용한다. 이러한 동작상태에 있는 NFC 휴대전화는 RF-IC카드와 같고 가맹점에 있는 동글 관점에서는 접촉하는 장치가 RF-IC카드인지, 카드 에뮬레이션 모드로 동작하는 NFC 휴대전화인지 판별하는 것은 불가능하다.

### ●●● 리더·라이터 모드

리더·라이터 모드는 액티브 모드라고도 한다. 휴대전화에서 데이터 통신을 위해서 RF필드를 생성하고 웨이크업 신호를 송출하며 외부 장치를 지속해서 찾는 행동을 한다.

항상 이 모드가 동작해야 하는지, 언제 동작해야 하는지 등에 대한 동작방식이 규격으로 정해진 것은 아니어서 구형 안드로이드 OS를 사용하는 단말기 일부는 화면이 꺼져 있는 상태에서도 RF필드를 생성해 이 모드를 동작시키고 있다. 다만 최신 안드로이드 OS를 사용하는 휴대전화에서는 전원관리의 효율성을 위해 화면이 켜져 있는 상태에서만 리더·라이터 모드를 동작시킨다.

이러한 동작상태에서 휴대전화는 ISO/IEC 14443A, ISO/IEC 14443B 또는 펠리카를 복수로 지원한다. 이러한 동작은 폴링polling 동작을 통해서 이루어진다. 이와 같은 동작은 RF IC가 사용하는 가맹점 단말기인 동글과 대부분 같다. 이를 위해서 휴대전화는 지속해서 전력을 소비하며 외부 RF-IC카드의 동작을 위해서 RF필드를 통해 전원을 공급한다. 이러한 RF-IC카드를 지원하기 위한 동작 외에 NFC 휴대전화는 IC태그를 인식하기 위한 전치도 지원한다.

여기서 NFC 규격은 NFC 규격의 특징인 RF-ID를 사용용도에 따라 4가지로 분류하고 있다.

| 기능 | 타입 1 | 타입 2 | 타입 3 | 타입 4 |
|---|---|---|---|---|
| UID 지원 | 지원 | 지원 | 지원 | 지원 |
| 가격 | 저가 | 저가 | 고가 | 중가 |

| Anti-collision 기능 지원 | 비지원 | 지원 | 지원 | 지원 |
|---|---|---|---|---|
| RF 규격 | ISO/IEC 14443A | ISO/IEC 14443A | JIS X 6319-4 | ISO/IEC 14443A<br>ISO/IEC 14443B |
| 유저 메모리 | 96바이트 | 48바이트 | 최대1MB(이론치) | ~32KB |
| 속도 | 106kbit/s | 106kbit/s | 212 ~ 424kbit/s | 424kbit/s |

### ● ● ● P2P 모드

P2P 모드는 RF 통신 중에서 NFC만 가지고 있는 가장 특별한 기능으로 볼 수 있다. 비접촉 및 접촉식 IC카드 통신은 한쪽이 액티브, 다른 한쪽이 패시브 모드로 동작해 통신하는 단방향 통신방식이나 P2P 모드에서 초기 연결은 양쪽에서 데이터를 전송하는 양방향 통신을 지원하고 있다. 두 개의 NFC 장치 간 P2P 연결과정이 완료되면 한 개의 NFC 장치는 액티브 모드로 변환되고 상대 NFC 장치는 패시브 모드로 전환된다. 이러한 방식을 통해서 전력소비가 많은 액티브 동작을 줄이도록 서비스가 구성돼 있다.

기존에 사용하던 블루투스 및 와이파이와 다른 점은 적은 양의 데이터를 1대1 통신을 통해서 가능한 신속하게 전달하기에 특화해 구성됐다. 이러한 특징을 이용해 블루투스 장치 간의 연결을 위한 페어링 정보나 연락처 정보를 간편하게 전송하는 데 주로 서비스가 사용되고 있다.

이러한 P2P 모드는 리더·라이터 모드와 같게 연결 전까지는 액티브 모드로 지속 전원을 소비해야 한다. 대부분의 NFC를 지원하는 안드로이드 휴대전화에서는 화면이 켜져 있을 때만 동작하도록 구성해 전원관리의 효율성을 높이고 있다.

P2P 모드는 실질적인 지급 결제를 위해 사용되는 곳이 많지 않다. 현재는 NFC 장치 간 간단한 데이터를 빠르게 전송하는 데 주로 서비스되거나 와이파이 및 블루투스 연결을 위한 정보 제공 등의 제한된 업무에 사용되고 있다.

## NFC 저장장소

NFC에서는 금융 서비스를 위한 기본 서비스로 카드 에뮬레이션 모드를 제공하며 해당 금융정보를 안전한 장소에 보관하기 위해서 SESecure Element라고 하는 IC카드 기반의 보안장소에 대한 규격 및 운영 방안을 제안했다. SESecure Element는 IC카드 기술을 이용해 현존하는 가장 안전한 보안 매체인 IC카드의 보안성 및 편리성을 제공한다. SESecure Element는 모바일 카드와 같은 금융정보와 결제의 정합성을 검증하기 위한 승인키 등의 금융보안 정보를 안전하게 저장하며, 저장된 해당 금융정보를 이용해 복제 및 위·변조에 안전한 결제수단을 제공한다.

NFC에서는 다음과 같은 3개의 SESecure Element를 정의하고 있다.

| | 유심 | 마이크로 SD | 임베디드 SE |
|---|---|---|---|
| 서비스 제공자 | 통신사 | 제한 없음 | 휴대폰 제조사 또는 플랫폼 개발사(구글 등) |
| 특징 | 가장 먼저 상용화된 솔루션으로 OTA 등 금융서비스를 위한 서비스 및 규격이 충실하게 개발되어 있음 | 누구든지 서비스를 제공할 수 있다고는 하나 휴대전화 내의 NFC 칩과의 연동을 위해서는 휴대전화 제조사의 협력이 필수적 | 이통사에 독립적인 제조사 및 플랫폼 개발사 중심의 서비스 모델 가능 |

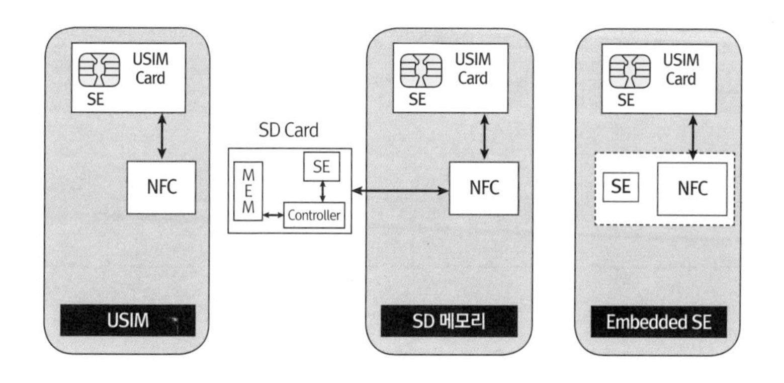


### ● ● ● 유 심

유심은 범용사용자 식별 모듈Universal Subscriber Identity Module의 약자이다. GSM의 SIM이 확장된 규격이다. 초기의 유심은 통신 네트워크 접속 및 가입자 인증을 위한 소프트웨어를 탑재하고, 통신 서비스를 위한 유심 애플리케이션 외에 자바기반의 부가 서비스를 위한 영역을 가지고 있으며, 이 영역을 이용해 SESecure Element 서비스를 제공하고 있다. NFC가 활성화되기 전에는 RF 기능이 있는 유심을 이용해 금융 서비스를 제공하기도 했으나 여러 가지 부가 서비스를 제공하고 산업표준으로 표준화된 NFC가 활성화되면서 RF 유심기반의 서비스는 빠른 속도로 NFC 유심기반 서비스로 대체돼 현재 신규 RF 유심 서비스 단말이 더는 출시되지 않고 있다

RF 유심과 NFC 유심의 차이는 다음과 같다.

| 표준 | RF 유심 | NFC 유심 |
|---|---|---|
| 접촉식 통신 | ISO 7816 | ISO 7816 |
| 비접촉식 통신 | ISO 14443A/B | SWP |
| 통신을 위한 전원 | 외부 전원 이용(동글) | 내장 전원 이용(배터리) |
| 동작방식 | 유심 칩의 C4, C8 단자에 안테나를 직접 접속하여 통신 | 유심 칩의 C6 단자를 통해서 NFC 칩과 통신 |

### ●●● SD 메모리

SD등 메모리를 읽을 수 있는 슬롯이 장착된 휴대폰은 피처폰 시절부터 존재하였다. 현재 대부분의 안드로이드 스마트폰에서는 외장 메모리를 지원하고 있다. 초창기에는 디지털 카메라의 저장매체로서 개발된 SD메모리가 사용되었다. 그러나 기술의 발달로 크기를 줄이면서 더 많은 메모리를 집적하는 게 가능해지고 소형화에 대한 요구가 증대되면서 좀더 작은 미니Mini SD와 마이크로Micro SD가 개발되었다. 현 시점에서 출시되는 대부분의 휴대폰에서는 마이크로 SD를 지원하고 있다. 여기서도 SD와 관련해 마이크로 SD로 통칭하여 설명하고자 한다.

NFC를 지원하는 마이크로 SD는 단순한 파일저장 외에 IC카드 기술을 이용해서 금융정보를 넣어 금융 결제에 사용하는 방식이다. 이용을 위해서는 이통사의 협조가 필수적인 유심기반의 SESecure Element와 달리 SD 메모리는 휴대전화 제조사나 통신사와 독립적으로 서비스를 위한 시스템을 구축할 수 있다.

이에 SESecure Element 이용을 위한 하드웨어 플랫폼을 갖추지 못한 금융사 등에서 서비스에 대한 검토를 진행하고 있다. 그러나 이미 인터페이스 규격이 통신사별로 만들어진 유심 인터페이스와 비교할 때 마이크로 SD 이용을 위한 인터페이스에 대한 표준화 작업은 아직 시작단계라는 단점이 있다.

### NFC 마이크로 SD

마이크로 SD에서 휴대전화에 있는 NFC 칩과 SWP로 연결할 수 있게 구성돼 결제 시 휴대전화에 있는 NFC 칩과 안테나를 통해 통신하는 구조이다. 작은 마이크로 SD에 안테나를 넣음으로써 발생하는 수신 감도 등의 문제를 해결하고, 휴대전화에서 NFC 칩을 통해 제공하는 NFC 통신을 안정적으로 사용할 수 있는 장점이 있다.

다만 휴대전화에서 마이크로 SD를 이용해서 SE Secure element 및 NFC 서비스 기능을 제공하기 위해서는 휴대전화 제조사가 해당 기능의 지원이 필수적이나 아직까지는 휴대전화 제조사도 유심기반의 NFC 또는 자사의 플랫폼인 임베디드 SE기반을 중심으로 휴대전화를 개발하고 마이크로 SD를 위해 별도의 기능을 탑재하지는 않고 있다.

금융사 주도로 중국에서 파일럿 테스트 및 상용 테스트가 진행됐으며, 금융사의 요구에 따라 HTC 등에서 마이크로 SD를 지원하는 일부 특화 단말기가 생산됐으나 단말기의 종류가 한정적이어서 시장에 영향을 미치지는 못하고 있다.

### 유심과 연결하는 NFC 마이크로 SD

시장에 나오는 대부분의 NFC 기능의 휴대전화가 유심기반으로 서비스를 제공하며 NFC 마이크로 SD를 지원하는 전용 휴대전화의 개발 및 보급이 어려운 약점을 보완하기 위해서 유심 칩에서 C6핀을 통해 외부와 연결하는 방식의 마이크로 SD이다. 유심의 NFC 기능을 강제로 사용금지disable시키고 데이터를 마이크로 SD로 물리적으로 전환하는 방식으로 휴대전화의 NFC 기능을 통해서 가장 안정적으로 서비스할 수 있는 장점이 있다. 그러나 이를 위해서는 사용자가 마이크로 SD에서 나온 케이블을 유심에 연결해야 하는 불편함이 있어 실제 상용 서비스로는 사용되지 않고 있다.

#### NFC 내장형 마이크로 SD

이러한 단점을 극복하기 위해 일부 마이크로 SD는 칩 자체 내에 NFC 칩인 안테나를 내장해 휴대전화의 NFC 기능을 이용하지 않고, 독자적으로 서비스할 수 있는 모델도 출시되고 있다. 이러한 마이크로 SD를 이용하는 경우 휴대전화 제조사의 협조 없이도 자체적으로 NFC 서비스를 할 수 있는 장점은 있으나 NFC를 내장하는 휴대전화의 NFC 칩과 같은 통신방식을 이용함에 따라 서로 데이터 통신이 충돌하는 이슈가 있다. 이를 방지하기 위해 NFC 칩 내장형 마이크로 SD를 사용하는 경우에는 휴대전화의 설정에서 NFC 기능을 사용하지 않도록 구성할 필요가 있다.

### ● ● ● 임베디드 SE

임베디드 SESecure Element는 상기에서 설명한 유심 및 마이크로 SD 외의 SESecure Element 영역을 통칭한다. 따라서 이 카테고리에

들어가는 SE매체는 다양하다. NFC 통신 칩 내부, 휴대전화 내부의 칩에 내장하는 형식과 CPU를 이용해 저장매체로 쓰는 등 각 하드웨어 제조사에서는 자신의 하드웨어에서 해당 기능을 제공하도록 구성하고 있다.

현재 삼성 및 구글에서 해당 기능을 이용한 단말기를 생산하고 있다. 특히 구글은 안드로이드 OS 내의 API에 임베디드 SE기능을 추가하고 있어 장기적으로 강력한 SE가 될 가능성이 높다고 볼 수 있다.

# 03 모바일 카드 애플리케이션 규격

## 비자

비자는 RF-IC카드 규격을 이용해 모바일 카드 서비스를 제공하고 있다. RF-IC카드 규격은 모바일 카드로 활용하려는 목적으로 만들어지기보다는 비접촉식 인터페이스를 이용한 플라스틱 카드 서비스를 고려해 만들어졌다. 따라서 최초부터 전용 RF 규격이 존재하지 않았으며, 초기의 비접촉식 IC카드는 비자의 IC카드 규격인 VSDC에서 로밸류 프로파일low value profile을 적용해 RF카드 서비스를 시작했다.

로밸류 프로파일을 적용한 이유는 거래의 시작에서 종료까지 물리적으로 안정된 인터페이스를 제공하는 접촉식과 달리 거래 중간에 언제든지 중단될 수 있는 RF카드의 물리적인 특성을 고려했기 때문이다. 온라인 승인을 통해 호스트부터 승인 검증의 결과를 받을 때까지 지속해서 거래를 위한 물리적인 제한을 하는 것은 현실적으로 어렵다. 따라서 로밸류 프로파일을 통해 오프라인 승인 또는 오프라인 거절만을 제공하는 방식으로 제한적인 서비스를 제공했다.

IC카드 거래에서 온라인 승인을 처리하기 위해서는 단말기에서 발급사로 거래 승인 요청을 하고 거래 승인에 대한 결과를 받을 때까지 단말기와 카드가 지속해서 통신상태에 있어야 하나, 단말기 내에 삽입되어 사용되는 접촉식 IC카드와 달리 단말기의 RF 영역에 카드를 접촉해서 비접촉식으로 통신하는 RF-IC나 모바일 카드에서는 지속해서 통신을 처리하는 것이 물리적으로 어렵다.

접촉식 IC 규격을 그대로 비접촉식에 적용함에 따라 오프라인 승인기능이 가능해지고 (최초에는 로밸류 프로파일에 따라 오프라인 거래만 지원), IC카드 기반의 승인 지원 등 보안성에서는 장점이 있다. 하지만 오프라인 승인 검증을 위한 필요 데이터의 처리를 위해 전체 거래 속도가 영향을 받아 느려지는 문제도 발생했다.

이러한 VSDC 기반의 RF-IC카드 규격은 그 자체의 제한적인 기능과 처리 속도 등의 이슈가 지속해서 제기됐으며, 비접촉식 환경에 최적화된 결제규격인 qVSDC가 이용되기 시작했다. qVSDC는 비접촉식 거래를 위해서 최적화된 규격이다. IC카드 기반의 온라인 승인기능을 제공하며 오프라인 승인을 위한 DDA 등의 오프라인 데이터 검증을 지원하고 있다. 다만 이러한 기능을 모두 제공하기 위해 MSD 거래보다 처리 속도가 느리다는 단점을 가지고 있다.

비자는 IC카드 기반의 규격 외에도 MS 전문을 이용하는 비접촉식 규격으로서 MSD도 지원하고 있다. MSD는 EMV를 지원하지 않는 미국에서 주로 사용되고 있다. 또 IC카드 기반의 타 규격보다 보안성은 떨어지나 거래 프로세스가 간단하고 처리 속도가 빠른 장점이 있다.

MSD는 MS카드와 같이 카드의 트랙 2를 이용해서 승인을 위한 거래를 진행한다. 비자에서 제공하는 각 규격의 특징은 다음과 같다.

| | Contactless VSDC | qVSDC | MSD |
|---|---|---|---|
| 거래절차 | IC카드 전문 | IC카드 전문 | MS 전문 |
| 오프라인 데이터 검증 | DDA | fDDA | 없음 |
| 승인 | 오프라인 승인<br>온라인 승인 | 오프라인 승인<br>온라인 승인 | 온라인 승인 |
| 처리 속도 | 느림 | 보통 | 빠름 |

### ● ● ● 비접촉식 VSDC

처리절차

비접촉식contactless VSDC는 VSDC와 거래처리가 같고 상기에서 기술한 이유로 qVSDC로 빠르게 대체될 전망이다. 그러나 현재 국내의 대부분의 비자 규격을 지원하는 인프라가 qVSDC를 지원하지 않으며, 대부분의 카드사 및 이통사에서 지원하는 모바일 카드 규격이 비접촉식 VSDC로 현재 대부분의 비자 모바일 카드와 RF 카드는 이 규격을 이용해서 발급되고 있다.

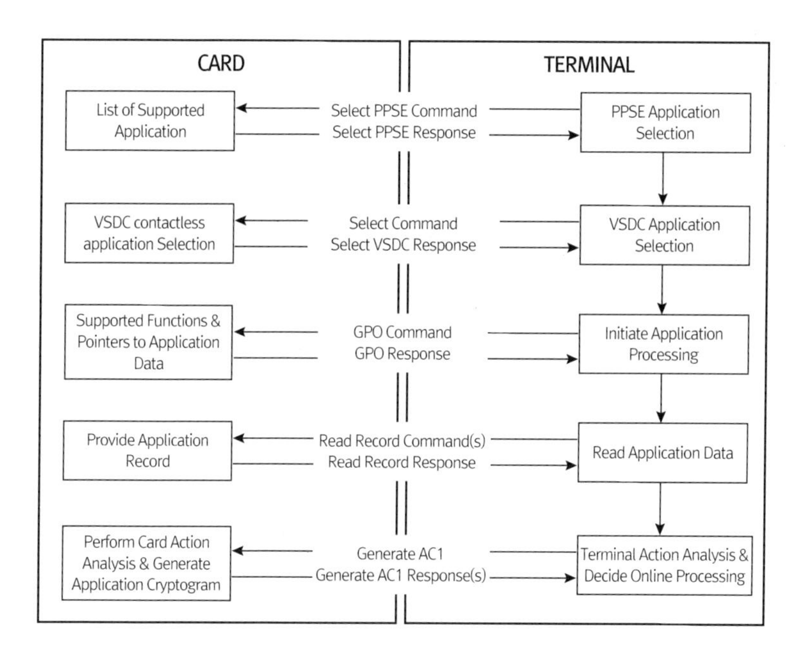


명령어

• SELECT AID

모바일 카드를 선택하기 위해 사용하는 명령어이다. 모바일 카드가 정상적으로 선택되면 응답 데이터로 FCI를 전달한다.

**명령 메시지**

| CLA | INS | P1 | P2 | Lc | DATA | Le |
|---|---|---|---|---|---|---|
| 00h | A4h | 04h | 00h | 07 | A0 00 00 00 03 10 10 | 00h |

**응답 메시지**

| DATA | SW1 | SW2 |
|---|---|---|
| FCI(File Control Information) | XX | XX |

• GET PROCESSING OPTIONS

거래를 위한 필수정보를 카드에 전달하고 카드에서 거래에 관한 결정과 지원하는 기능 및 거래를 처리하는 데 읽어야 하는 레코드 정보를 읽기 위해서 처리하는 명령이다. 카드 거래에 필요한 정보는 SELECT 명령에 대한 응답을 PDOL이라는 데이터 형식으로 단말기에 전달해준다.

**명령 메시지**

| CLA | INS | P1 | P2 | Lc | DATA | Le |
|---|---|---|---|---|---|---|
| 80h | A8h | 00h | 00h | XX | SELECT 에서 PDOL에 요청한 데이터의 목록 | 00h |

* Lc는 PDOL에서 요청한 데이터의 길이 값에 태그와 길이를 추가한 값이 된다.

**응답 메시지**

| DATA | SW1 | SW2 |
|---|---|---|
| 응답 데이터 | XX | XX |

• READ RECORD

카드에서 거래에 대한 결정 및 지원하는 기능 및 거래를 처리하는 데 읽어야 하는 레코드에 대한 정보를 읽기 위해서 처리하는 명령이다. 해당 레코드에 대한 정보는 GET PROCESSING OPTIONS 응답으로 전달받는다.

**명령 메시지**

| CLA | INS | P1 | P2 | Lc | DATA | Le |
|---|---|---|---|---|---|---|
| 00h | B2h | XXh | XXh | - | - | 00h |

* P1은 읽을 레코드의 번호
* P2는 AFL에서 전달해준 레코드의 파일 식별자를 넣는다.

**응답 메시지**

| DATA | SW1 | SW2 |
|---|---|---|
| 응답 데이터 | XX | XX |

• GENERATE AC

입력한 데이터를 이용해 요청받은 종류의 암호문을 생성하는 명령어이다. VSDC 거래를 하는 단말기는 거래 금액, 카드로부터 읽은 데이터, 자체 리스크 관리를 통해 상대방의 거래 요청을 온라인에서 승인할지, 오프라인에서 승인할지, 거절처리를 할지 결정한 후 이 명령을 통해 카드에 데이터를 생성해 주도록 요청한다.

로밸류 프로파일을 지원하는 RF카드 및 모바일 카드는 오프라인 승인을 요청하게 구성돼 있으나 모든 거래를 온라인으로 처리하는 국내에서는 로밸류 프로파일 기반의 모바일 카드가 사용되지 않는다. 또한 현재 대부분의 국내 비자 RF 단말기는 리드 레코드read record까지만 처리하고 실질적인 IC카드 거래를 위한 이 명령을 처리하지 않는다.

**명령 메시지**

| CLA | INS | P1 | P2 | Lc | DATA | Le |
|---|---|---|---|---|---|---|
| 80h | AEh | XX | 00h | XX | CDOL1 데이터<br>CDOL2 데이터 | XX |

* P1은 Reference Control Parameter로 다음 표의 의미를 가진다.

| b8 | b7 | b6 | b5 | b4 | b3 | b2 | b1 | 내용 |
|---|---|---|---|---|---|---|---|---|
| 0 | 0 | - | - | - | - | - | - | '거래 거절' |
| 0 | 1 | - | - | - | - | - | - | '거래 승인' |
| 1 | 0 | - | - | - | - | - | - | '승인 요청' |

## ● ● ● qVSDC

처리절차

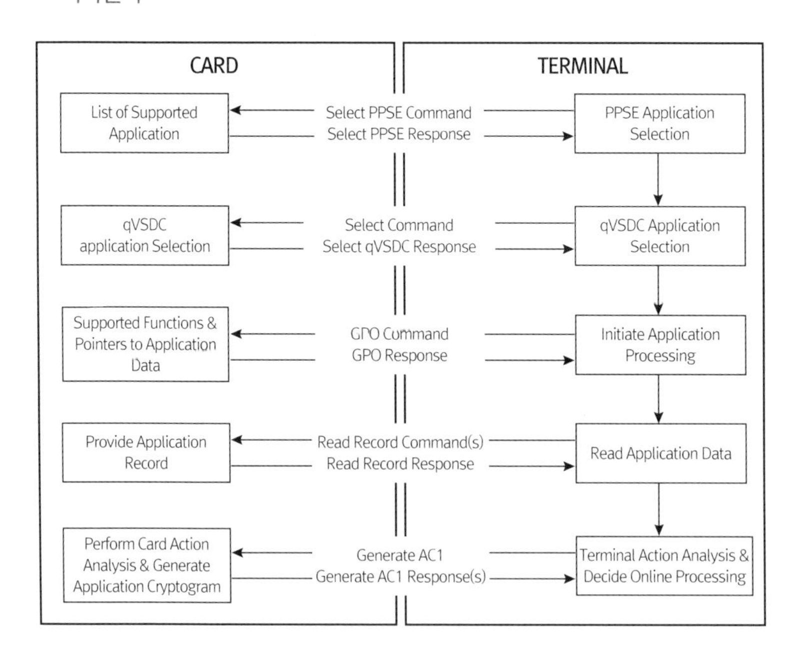

qVSDC는 비자 RF-IC카드 및 모바일 카드 규격에서 사용되는데, EMV 및 기존 비자용 IC카드인 VSDC에서 사용하던 절차 및 명령을 기반으로 새롭게 구성돼 있다. 그 중에서 비접촉식 환경에 맞추어 처리 속도를 높이고 절차를 간소화하기 위한 기능을 추가했으며, 그에 따라 거래처리 상 속도나 보안성 그리고 활용성에서 많은 장점이 있다.

다만 국내에 이미 설치된 대부분 비자의 비접촉식 단말기에서는 호환되지 않으며 사용하기 위해서는 해당 기능을 지원하는 것이 별도로 개발돼야 하나 국내의 RF 단말기의 인프라에는 이 규격이 대부분 적용되지 않은 문제가 있다.

명령어

• SELECT AID

모바일 카드를 선택하기 위해서 사용하는 명령어이다. 모바일 카드가 정상적으로 선택되면 응답 데이터로 FCI를 전달한다.

**명령 메시지**

| CLA | INS | P1 | P2 | Lc | DATA | Le |
|---|---|---|---|---|---|---|
| 00h | A4h | 04h | 00h | 07 | A0 00 00 00 03 10 10 | 00h |

**응답 메시지**

| DATA | SW1 | SW2 |
|---|---|---|
| FCI(File Control Information) | XX | XX |

• GET PROCESSING OPTIONS

거래를 위한 필수 정보를 카드에 전달하고 카드에서 거래에 관한 결정 및 지원하는 기능 및 거래를 처리하는 데 읽어야 하는 레코드에 대한 정보를 읽기 위해서 처리하는 명령이다. 카드가 거래하는 데 필요한 정보는 SELECT 명령에 대한 응답으로 PDOL이라는 데이터 형식으로 단말기에 전달해준다.

**명령 메시지**

| CLA | INS | P1 | P2 | Lc | DATA | Le |
|---|---|---|---|---|---|---|
| 80h | A8h | 00h | 00h | XX | SELECT에서 PDOL에 요청한 데이터의 목록 | 00h |

* Lc는 PDOL에서 요청한 데이터의 길이 값에 태그와 길이를 추가한 값이 된다.

**응답 메시지**

| DATA | SW1 | SW2 |
|---|---|---|
| 응답 데이터 | XX | XX |

• READ RECORD

카드에서 거래에 대한 결정 및 지원하는 기능 및 거래를 처리하는 데 읽어야 하는 레코드에 대한 정보를 읽기 위해서 처리하는 명령이다. 해당 레코드에 대한 정보는 GET PROCESSING OPTIONS 응답으로 전달받는다.

**명령 메시지**

| CLA | INS | P1 | P2 | Lc | DATA | Le |
| --- | --- | --- | --- | --- | --- | --- |
| 00h | B2h | XXh | XXh | - | - | 00h |

* P1은 읽을 레코드의 번호
* P2는 AFL에서 전달해준 레코드의 파일 식별자를 넣는다.

**응답 메시지**

| DATA | SW1 | SW2 |
| --- | --- | --- |
| 응답 데이터 | XX | XX |

• GENERATE AC

입력한 데이터를 이용해서 요청받은 종류의 암호문을 생성하는 명령이다. 접촉식 IC카드 기반의 비접촉식 VSDC와 달리 qVSDC에서는 단 한 번의 GENERATE AC 명령만 사용한다. qVSDC 거래를 하는 단말기는 거래 금액, 카드로부터 읽은 데이터, 자체 리스크 관리를 통해 상대방의 거래요청을 온라인에서 승인할지, 오프라인에서 승인할지, 거절처리를 할지 결정한다. 그 후 이 명명을 통해 카드에 데이터를 생성해 주도록 요청한다.

**명령 메시지**

| CLA | INS | P1 | P2 | Lc | DATA | Le |
| --- | --- | --- | --- | --- | --- | --- |
| 80h | AEh | XX | 00h | XX | CDOL1 데이터 | XX |

* P1은 Reference Control Parameter로 다음 표의 의미를 가진다.

| b8 | b7 | b6 | b5 | b4 | b3 | b2 | b1 | 내용 |
|---|---|---|---|---|---|---|---|---|
| 0 | 0 | – | – | – | – | – | – | '거래 거절' |
| 0 | 1 | – | – | – | – | – | – | '거래 승인' |
| 1 | 0 | – | – | – | – | – | – | '승인 요청' |

## ● ● ● MSD

처리절차

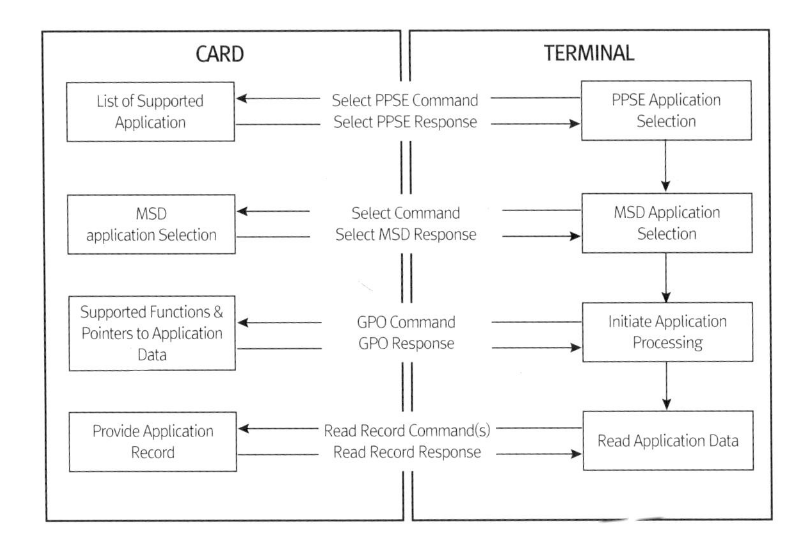


MSDmagnetic stripe data는 비접촉식 인터페이스를 이용해서 MS방식의 플라스틱 카드에서 사용하는 카드번호, 유효기간 등의 승인에 필요한 데이터(트랙 2)를 전송해 거래를 처리하는 규격이다. 거래 승인을 위해서 트랙 2 데이터를 사용하는 것은 기존의 MS방식의 카드와 같아 IC카드 승인 전문을 사용하지 않고, MS방식의 전문으로 승인처리가 가능하다.

또한 오프라인 승인을 위한 데이터 등을 사용하지 않고 소량의 데이터만 처리함에 따라 현재 모바일 카드 규격 중 가장 빠른 결제 속도를 제공한다. 반면에 오프라인 승인을 지원하지 못하고 보안 처리가 타 모바일 카드 규격보다 부족한 단점도 가지고 있다.

이러한 보안상의 단점을 보완하기 위해 연산이 가능한 칩카드의 기능을 이용해 MSD는 CVV값을 거래 시마다 매회 새롭게 연산해서 CVV값을 거래 시마다 다른 값으로 사용하는 다이내믹 CVV를 이용한 MSD를 제공하고 있다.

스태틱 CVV 기능의 MSD와 다이내믹 CVV를 지원하는 MSD의 차이는 다음과 같다.

| | Static CVV MSD | Dynamic CVV MSD |
|---|---|---|
| 카드 복제 가능성 | 높음 | 낮음 |
| 카드번호 검증 연산 | DES | DES |
| 연산 시점 | 발급 시 | 매회 거래 시 |
| 승인 전문 | 일반 MS전문 사용 | 일반 MS전문 사용 |
| 사용하는 Track 2 영역 | MS용 Track 2와 동일 | Discretionary data 영역을 추가 사용 |

다이나믹 CVV를 사용하기 위해서는 이러한 절차로 생성된 CVV 값과 연산에 사용된 랜덤 숫자나 거래 횟수(ATC) 등의 정보를 승인 시스템에 전달해야 한다. 이를 위해 다이내믹 CVV 기능의 MSD 카드는 트랙 2 데이터 영역 중 RFU**reserved for future use** 영역을 이용해 해당 데이터를 전달하도록 하고 있다.

스태틱 CVV를 이용하는 트랙 2의 데이터 형식

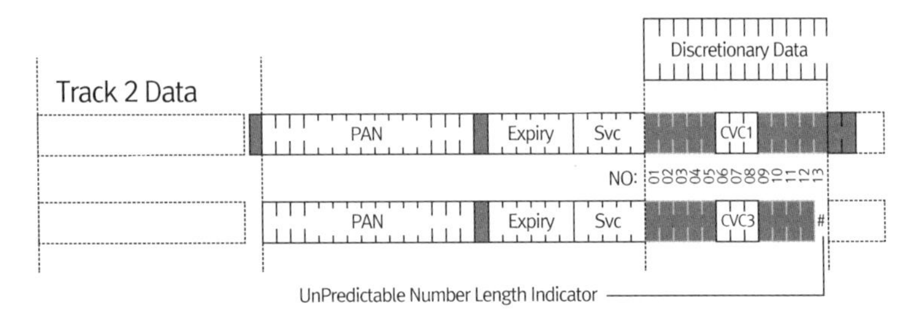


다이내믹 CVV를 이용하는 트랙 2의 데이터 형식

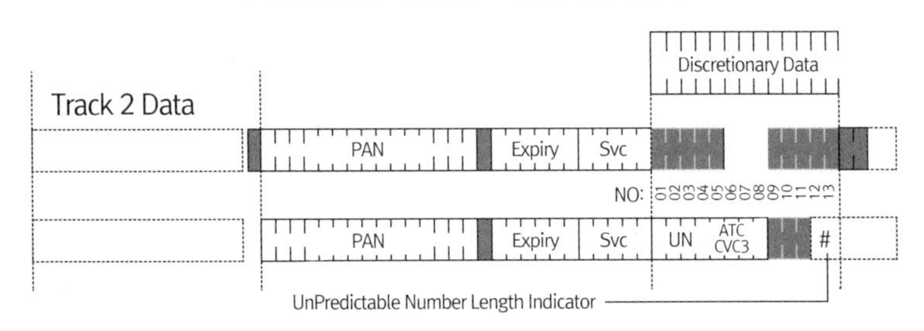


위의 예에서 보는 바와 같이 승인 시스템에서 다이내믹 CVV 연산을 하기 위해서는 트랙 2의 디스크레셔너리 데이터Discretionary data 영역에 필요한 데이터를 넣어 승인을 처리하게 돼 있다. 하지만 국내는 해당 영역을 멤버십 포인트 또는 제휴 카드를 위한 영역으로 이미 사용하고 있다. 그래서 다이내믹 CVV는 제휴 카드로 발급할 수 없다. 일부 1자리만 이용하는 제휴 카드는 공간을 활용해 처리하고 있으나 여러 자리의 제휴 코드를 사용하는 카드 상품은 다이내믹 CVV를 발급할 수 없다고 본다.

비자의 경우 MSD보다는 IC카드 기반의 qVSDC를 사용하도록 권고하고 있으며, MSD가 아닌 qVSDC와 같이 full IC기반의 모바일 카드 규격을 이용하는 경우에는 해당 문제가 발생하지 않는다.

명령어

• SELECT AID

모바일 카드를 선택하기 위해서 사용하는 명령어이다. 모바일 카드가 정상적으로 선택되면 응답 데이터로 FCI를 전달한다.

**명령 메시지**

| CLA | INS | P1 | P2 | Lc | DATA | Le |
|---|---|---|---|---|---|---|
| 00h | A4h | 04h | 00h | 07 | A0 00 00 00 03 10 10 | 00h |

**응답 메시지**

| DATA | SW1 | SW2 |
|---|---|---|
| FCI(File Control Information) | XX | XX |

• GET PROCESSING OPTIONS

거래를 위한 필수정보를 카드에 전달하고 카드에서 거래에 관한 결정 및 지원하는 기능 및 거래를 처리하는 데 읽어야 하는 레코드에 대한 정보를 읽기 위해서 처리하는 명령이다. 카드가 거래하는 데 필요한 정보는 SELECT 명령에 대한 응답으로 PDOL이라는 데이터 형식으로 단말기에 전달해준다.

**명령 메시지**

| CLA | INS | P1 | P2 | Lc | DATA | Le |
|---|---|---|---|---|---|---|
| 80h | A8h | 00h | 00h | XX | SELECT에서 PDOL에 요청한 데이터의 목록 | 00h |

* Lc는 PDOL에서 요청한 데이터의 길이 값에 태그와 길이를 추가한 값이 된다.

**응답 메시지**

| DATA | SW1 | SW2 |
|---|---|---|
| 응답 데이터 | XX | XX |

• READ RECORD

카드에서 거래에 대한 결정 및 지원하는 기능 및 거래를 처리하는데 읽어야 하는 레코드에 대한 정보를 읽기 위해서 처리하는 명령이다. 해당 레코드에 대한 정보는 GET PROCESSING OPTIONS 응답으로 전달받는다.

**명령 메시지**

| CLA | INS | P1 | P2 | Lc | DATA | Le |
|---|---|---|---|---|---|---|
| 00h | B2h | XXh | XXh | - | - | 00h |

* P1은 읽을 레코드의 번호
* P2는 AFL에서 전달해준 레코드의 파일 식별자를 넣는다.

**응답 메시지**

| DATA | SW1 | SW2 |
|---|---|---|
| 응답 데이터 | XX | XX |

## 마스터카드

비접촉식 RF카드 및 모바일 카드를 위한 마스터카드의 규격은 비자와 달리 MSD만 사용되고 있다. 이에 따라 마스터카드 기반의 모바일 카드를 발급할 경우 다이내믹 CVC로 발급 시 발생하는 제휴카드에 대한 이슈가 직접적인 영향을 주게 된다(비자는 MSD보다는 qVSDC로 발급하도록 권고하고 있음).

현재 마스터카드로 모바일 카드를 발급하는 경우 MSD의 사용을 위한 버전은 이하의 2가지가 통신사에 따라 혼용되고 있으며 각각의 버전별 CVC 지원에 대한 차이는 다음의 표와 같다.

| | Version 3.1 | Version 3.3 |
|---|---|---|
| Static CVC | 지원 | 미지원 |
| Dynamic CVC | 지원 | 지원 |

● ● ● MSD

처리절차

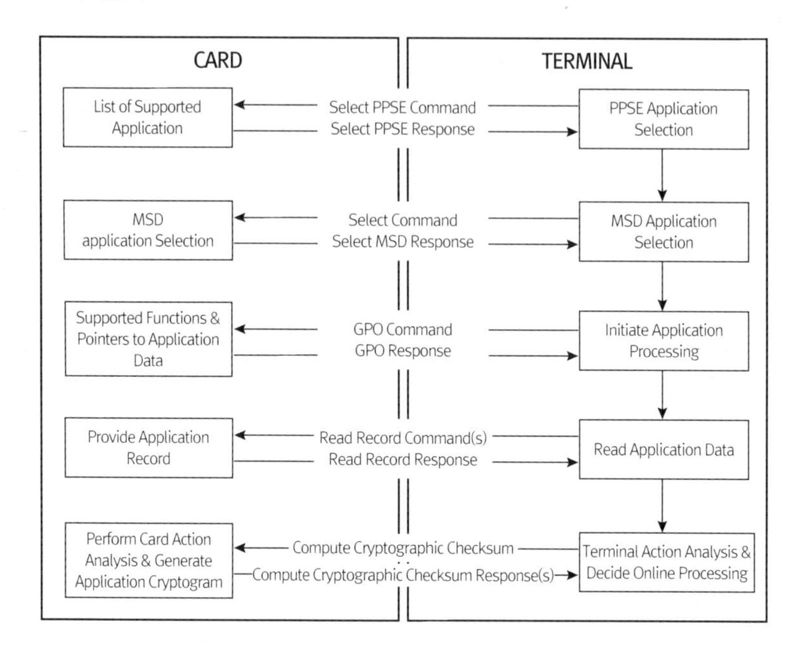


명령어

• SELECT AID

모바일 카드를 선택하기 위해서 사용하는 명령어이다. 모바일 카드가 정상적으로 선택되면 응답 데이터로 FCI를 전달한다.

**명령 메시지**

| CLA | INS | P1 | P2 | Lc | DATA | Le |
|---|---|---|---|---|---|---|
| 00h | A4h | 04h | 00h | 07 | A0 00 00 00 04 10 10 | 00h |

**응답 메시지**

| DATA | SW1 | SW2 |
|---|---|---|
| FCI(File Control Information) | XX | XX |

• GET PROCESSING OPTIONS

거래를 위한 필수 정보를 카드에 전달하고 카드에서 거래에 관한 결정 및 지원하는 기능 및 거래를 처리하는 데 읽어야 하는 레코드에 대한 정보를 읽기 위해서 처리하는 명령이다. 카드가 거래하는 데 필요한 정보는 SELECT 명령에 대한 응답으로 PDOL이라는 데이터 형식으로 단말기에 전달해준다.

**명령 메시지**

| CLA | INS | P1 | P2 | Lc | DATA | Le |
|---|---|---|---|---|---|---|
| 80h | A8h | 00h | 00h | XX | SELECT에서 PDOL에 요청한 데이터의 목록 | 00h |

* Lc는 PDOL에서 요청한 데이터의 길이 값에 태그와 길이를 추가한 값이 된다.

**응답 메시지**

| DATA | SW1 | SW2 |
|---|---|---|
| 응답 데이터 | XX | XX |

• READ RECORD

카드에서 거래에 대한 결정 및 지원하는 기능 및 거래를 처리하는 데 읽어야 하는 레코드에 대한 정보를 읽기 위해서 처리하는 명령이다. 해당 레코드에 대한 정보는 GET PROCESSING OPTIONS

응답으로 전달받는다.

명령 메시지

| CLA | INS | P1 | P2 | Lc | DATA | Le |
|---|---|---|---|---|---|---|
| 00h | B2h | XXh | XXh | - | - | 00h |

* P1은 읽을 레코드의 번호
* P2는 AFL에서 전달해준 레코드의 파일 식별자를 넣는다.

응답 메시지

| DATA | SW1 | SW2 |
|---|---|---|
| 응답 데이터 | XX | XX |

• COMPUTE CRYPTOGRAPHIC CHECKSUM

카드에서 다이내믹 CVC 연산을 처리하도록 명시적으로 요청하는 명령이다. 이 명령을 받은 카드는 단말기가 제공해준 랜덤 숫자와 카드 자체가 보유하고 있는 거래 횟수를 조합하여, 카드에 내장된 비밀키를 이용해서 다이나믹 CVC를 생성한다.

명령 메시지

| CLA | INS | P1 | P2 | Lc | DATA | Le |
|---|---|---|---|---|---|---|
| 80h | 2Ah | 8Eh | 80h | XX | UDOL 데이터 | 00h |

* Lc는 UDOL에서 요청한 데이터의 길이

**응답 메시지**

| DATA | SW1 | SW2 |
|---|---|---|
| 응답 데이터 | XX | XX |

## 국내 규격(KS규격)

신용카드의 사용 및 인프라에 대해서는 가장 앞서 나가고 있으나 모두 국외 기술 및 규격을 기반으로 이루어져 있다. IC카드와 관련해서 국내의 기술 및 규격은 전혀 없다고 볼 수 있다. MS카드와 같이 별도의 브랜드 규격이 존재하지 않고 트랙에 대한 ISO 규격만 존재하던 과거 시절에는 규격이 없어도 큰 문제가 없었다.

하지만 MS카드의 복제에 대한 취약성 및 여러 보안상 문제로 IC카드로의 전환은 세계적인 추세이다. 이미 국내와 미국을 제외한 대부분 국가는 IC카드로 전환됐다. 그러나 국내는 인프라 및 상용화된 국내만의 규격이 없는 문제로 여전히 지지부진한 상태이다.

플라스틱 카드에서는 IC카드 대신 MS카드를 이용할 수도 있다. 하지만 MS 트랙이 존재하지 않는 NFC 기반의 모바일 카드는 발급 및 사용을 위한 IC카드 규격이 필수적이다. 이에 ETRI, 통신사, 국내 카드사가 참여해 2012년에 세계 최초로 모바일 카드를 위한 KS규격을 제정했다.

KS규격은 다른 모바일 카드 규격이 기존 RF-IC카드를 기반으로 만들어진 것과 달리 모바일 카드 규격으로 만들어져 전자지갑과의 연계 및 RF 거래를 위한 CVM, 보안기능 등이 포함돼 있다. 이에

KS규격은 고객의 서명 데이터를 내부에 저장해 기존 플라스틱 카드처럼 서명을 통한 본인 확인 절차를 지원하고 있다. 또한 고객의 선택에 따라 전자지갑을 통한 사용자 인증을 선행해야 거래가 되는 방식과 RF로 나가는 카드의 주요 정보를 실시간으로 암호화하는 기능도 제공하고 있다.

처리절차

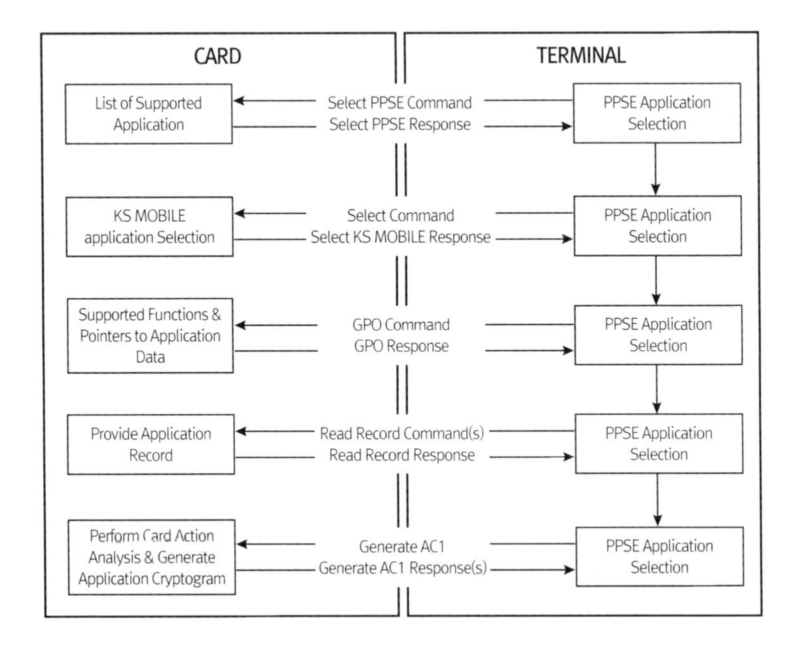


명령어

- SELECT AID

모바일 카드를 선택하기 위해서 사용하는 명령어이다. 모바일 카드가 정상적으로 선택되면 응답 데이터로 FCI를 전달한다.

**명령 메시지**

| CLA | INS | P1 | P2 | Lc | DATA | Le |
|---|---|---|---|---|---|---|
| 00h | A4h | 04h | 00h | 07 | D4 10 00 00 01 40 10 | 00h |

**응답 메시지**

| DATA | SW1 | SW2 |
|---|---|---|
| FCI(File Control Information) | XX | XX |

- READ CREDIT INFO

모바일 카드의 발급된 모바일 신용카드 정보를 조회하기 위해서 사용하는 명령어이다.

**명령 메시지**

| CLA | INS | P1 | P2 | Lc | DATA | Le |
|---|---|---|---|---|---|---|
| 80h | 54h | XX | 00h | - | - | 00h |

* P1: 모바일 카드의 슬롯 번호

**READ CREDIT INFO 명령 메시지의 P1: 슬롯 번호**

| b8 | b7 | b6 | b5 | b4 | b3 | b2 | b1 | 설명 |
|---|---|---|---|---|---|---|---|---|
| 0 | 0 | 0 | 0 | 0 | 0 | 0 | 0 | 주 카드 디렉터리 정보 조회 |
| 1 | 0 | 0 | 0 | 0 | 0 | 0 | 0 | 전체 디렉터리 정보 조회 |

**응답 메시지**

| DATA | SW1 | SW2 |
|---|---|---|
| 모바일 신용카드 발급정보 | XX | XX |

• VERIFY PIN

외부 장치에서 입력받은 PIN을 모바일 카드에 전달해 검증하도록 하는 명령어이다. 입력받은 PIN이 모바일 카드에 저장된 PIN과 같지 않을 때 PIN 시도 횟수는 1씩 감소하게 된다. 0에 도달하게 되면 해당 PIN은 일시 정지상태PIN Block로 설정된다. PIN이 일시 정지상태로 설정되면 CHANGE PIN 명령어를 이용해 해당 PIN을 재설정해야 한다.

사용자 비밀번호GPIN 검증은 2단계 레벨로 구성돼 있으며, 1단계 검증이 수행된 상태에서만 2단계 검증이 가능하다. 사용자 비밀번호 1단계 검증이 성공하면 모바일 카드가 DESELECT되기 이전까지 해당 상태는 유효하게 유지된다.

PIN 검증이 성공하면 PIN 시도 횟수는 최대 PIN 시도 횟수로 초기화된다.

**명령 메시지**

| CLA | INS | P1 | P2 | Lc | DATA | Le |
|---|---|---|---|---|---|---|
| 80h | 20h | XX | 80h | 08h | PIN | - |
| | | | | 10h | PIN \| Terminal Challenge | 28 |

※ 터미널 챌린지는 단말기가 생성한 8바이트의 랜덤 데이터를 사용한다.

P1: PIN 구분 코드를 넣는다. PIN 구분 코드는 다음과 같다.

| b8 | b7 | b6 | b5 | b4 | b3 | b2 | b1 | 의미 |
|---|---|---|---|---|---|---|---|---|
| 1 | 0 | 0 | 0 | 0 | 0 | 0 | 0 | 사용자 비밀번호(GPIN) 검증 1단계 |
| 0 | 1 | 0 | 0 | 0 | 0 | 0 | 0 | 사용자 비밀번호(GPIN) 검증 2단계 |
| 0 | 0 | 1 | 0 | 0 | 0 | 0 | 0 | PIN Verification Certificate Code 생성 |
| 0 | 0 | 0 | 0 | 0 | 0 | 0 | 0 | 결제 비밀번호(LPIN) 검증 |

**PIN 형식**

| b16 | | b15 | | b14 | | b13 | | b12 | | b11 | | b10 | | b9 | | b8 | b7 | b6 | b5 | b4 | b3 | b2 | b1 |
|---|---|---|---|---|---|---|---|---|---|---|---|---|---|---|---|---|---|---|---|---|---|---|---|
| C | N | P | P | P | P | PF | PF | PF | PF | PF | PF | PF | PF | F | F | TC | TC | TC | TC | TC | TC | TC | TC |

**PIN 형식의 코딩 기호**

| 기호 | 항목 | 설명 |
|---|---|---|
| C | Control Field | 항상 0010b로 고정값 사용 |
| N | PIN Length | PIN Digit의 개수 |
| P | PIN Digit | PIN으로 사용할 값 |
| F | Filler | 항상 1111b로 고정값 사용 |
| P/F | PIN Digit or Filler | PIN Length에 따라서 사용 |
| TC | Terminal Challenge | 단말기가 생성한 예측 불가능 숫자(Conditional) |

PIN이 초기 값인 경우에는 초기 상태(PIN 설정 필요)로 인식한다. 이때 VERIFY PIN 명령어를 이용해 PIN 검증 요청이 들어오면 사용자 비밀번호GPIN인 경우에는 SW=6291h가 전달되며 결제 비밀번호LPIN인 경우에는 SW=6292h가 전달된다.

**응답 메시지**

| DATA | SW1 | SW2 |
|---|---|---|
| PIN 검증 데이터 | XX | XX |

• GET PROCESSING OPTIONS

거래를 위한 필수 정보를 카드에 전달하고 카드에서 거래에 관한 결정 및 지원하는 기능 및 거래를 처리하는 데 읽어야 하는 레코드에 대한 정보를 읽기 위해서 처리하는 명령이다. 카드가 거래하는 데 필요한 정보는 SELECT 명령에 대한 응답으로 PDOL이라는 데이터 형식으로 단말기에 전달해 준다.

**명령 메시지**

| CLA | INS | P1 | P2 | Lc | DATA | Le |
|---|---|---|---|---|---|---|
| 80h | A8h | 00h | 00h | XX | SELECT에서 PDOL에 요청한 데이터의 목록 | 00h |

* Lc는 PDOL에서 요청한 데이터의 길이 값에 태그와 길이를 추가한 값이 된다.

**응답 메시지**

| DATA | SW1 | SW2 |
|---|---|---|
| 응답 데이터 | XX | XX |

• READ RECORD

카드에서 거래에 대한 결정 및 지원하는 기능 및 거래를 처리하는 데 읽어야 하는 레코드에 대한 정보를 읽기 위해서 처리하는 명령이다. 해당 레코드에 대한 정보는 GET PROCESSING OPTIONS

응답으로 전달받는다.

명령 메시지

| CLA | INS | P1 | P2 | Lc | DATA | Le |
|---|---|---|---|---|---|---|
| 00h | B2h | XXh | XXh | – | – | 00h |

* P1은 읽을 레코드의 번호
* P2는 AFL에서 전달해준 레코드의 파일 식별자를 넣는다.

응답 메시지

| DATA | SW1 | SW2 |
|---|---|---|
| 응답 데이터 | XX | XX |

• GENERATE AC

입력한 데이터를 이용해서 요청받은 종류의 암호문을 생성하는 명령이다. 접촉식 IC카드와 달리 KS규격에서는 단 한 번의 제너레이트 AC 명령만 사용한다. KS규격 거래를 하는 단말기는 거래 금액, 카드로부터 읽은 데이터, 자체 리스크 관리를 통해서 거래를 온라인 승인요청을 할지, 거절 처리를 할지 결정한 후 이 명명을 통해서 카드에 데이터를 생성해 주도록 요청한다.

명령 메시지

| CLA | INS | P1 | P2 | Lc | DATA | Le |
|---|---|---|---|---|---|---|
| 80h | AEh | XX | 00h | XX | CDOL1 데이터 | XX |

* P1은 Reference Control Parameter로 다음 표의 의미를 가진다.

| b8 | b7 | b6 | b5 | b4 | b3 | b2 | b1 | 내용 |
|---|---|---|---|---|---|---|---|---|
| 0 | 0 | - | - | - | - | - | - | '거래 거절' |
| 1 | 0 | - | - | - | - | - | - | '승인 요청' |

## 기타 규격

국내에 설치된 RF 단말기에서는 비자, 마스터카드, KS규격이 적용돼 있다. 그 외 규격은 적용돼 있지 않다. 접촉식 IC카드 규격은 DFS의 규격인 D-PASS 및 중국 은련 규격인 PBOC규격이 단말기에 적용되고 있다. 그러나 모바일 카드 및 비접촉식 카드를 위한 규격은 국내에 적용된 단말기가 없어서 사실상 상기 3개 규격 외에는 사용할 수 없다.

각각의 브랜드에 따른 비접촉식 및 모바일 카드 규격은 다음과 같다

| 브랜드 | DFS | 은련 | JCB |
|---|---|---|---|
| 규격 | ZIP | qPBOC | J-SPEEDY(해외)<br>QUICPAY(일본) |
| 프로토콜 | ISO/IEC 14443A/B | ISO/IEC 14443A/B | ISO/IEC 14443A/B(해외)<br>FELICA(일본) |
| 승인 전문 | MS전문 | IC전문 | IC전문(해외)<br>전자화폐전문(일본) |
| 오프라인 승인 지원 | X | O | O |
| 온라인 승인 | O | O | O |

그 중 JCB의 경우 일본 국내에서는 펠리카라는 일본 국내 전용

규격만 사용되고 있다. 그에 따라 전자화폐 기반인 퀵페이QUICPAY를 이용해서 모바일 및 RF-IC카드 규격으로 사용하고 있다. 전자화폐의 특성상 모든 거래는 오프라인 승인 기반이며, 내부에 저장된 금액이 넘어가는 경우에만 온라인으로 승인받도록 하고 있다. 국제적으로 사용되는 ISO/IEC 14443A/B 기반의 프로토콜과 달리 펠리카는 일본 및 일부 지역에서만 사용된다. 국외에서의 사용처도 교통카드가 대부분이다. 따라서 JCB는 국내용 모바일 카드 규격은 퀵페이로 국외 기반의 서비스는 제이-스피드J-SPEEDY로 전개하고 있다.

DFS는 MSD기반의 ZIP규격을 이용해서 모바일 및 RF-IC카드 규격으로 이용하고 있다. DFS의 ZIP규격은 마스터카드와 같은 MSD규격을 사용하나 DFS를 위한 AID가 단말기에 등록돼 있지 않아 미국 외에 실제 사용은 불가능하다.

은련은 비자의 qVSDC와 유사한 qPBOC라는 IC카드 규격 기반의 모바일 카드 규격을 지원하고 있다. 비자와 같게 MSD도 지원하나 보안 이점 및 활용상 장점 때문에 full IC카드 규격인 qPBOC를 권장하고 있다. 현재 중국에 있는 단말기에만 해당 규격이 설치돼 이용되고 있다.

모바일 결제 솔루션들은 2000년대 초반부터 다양한 시도가 있었다. 하지만 피처폰의 열악한 화면 품질과 통신 속도 그리고 값비싼 데이터 통신비용 때문에 활성화되지 않았다. 최근 스마트폰 사용이 확산하면서 카드사들은 본격적으로 모바일 카드를 발급하기 시작했다. m커머스가 성장하면서 다양한 솔루션이 쏟아져 나오고 있다. 하지만 아직 어떠한 모바일 결제 솔루션도 시장에 안착해 대다수 고객과 가맹점 사이에서 사용되고 있지 않다. 피처폰 시절부터 10여 년간 시도돼온 역사에 비해 여전히 시장 초기 상황이라고 볼 수 있다.

제3장

# 모바일 결제 솔루션

# 01 모바일 결제 솔루션의 정의와 분류

## 모바일 결제 솔루션의 정의

모바일 결제 솔루션은 스마트폰 단말에서 구동돼 카드사의 결제 승인을 득하고 고객 및 가맹점에 그 결과를 통보해 주는 전체 시스템 구성을 말한다. 솔루션이 결제수단으로 동작하는 경우와 결제 단말로 동작(Mobile POS라고 하며 줄여서 mPOS라고 한다)하는 두 가지 형태가 있다.

형태에 따라 그 구성요소 또한 달라진다. 결제수단으로 동작하는 경우 결제매체, 인증방법, 거래내역 연동, 애플리케이션(고객용), 승인 경로로 구성되며 결제 단말로 동작하는 경우 카드 리더, 애플리케이션(가맹점용 mPOS), 승인 경로로 구성된다.

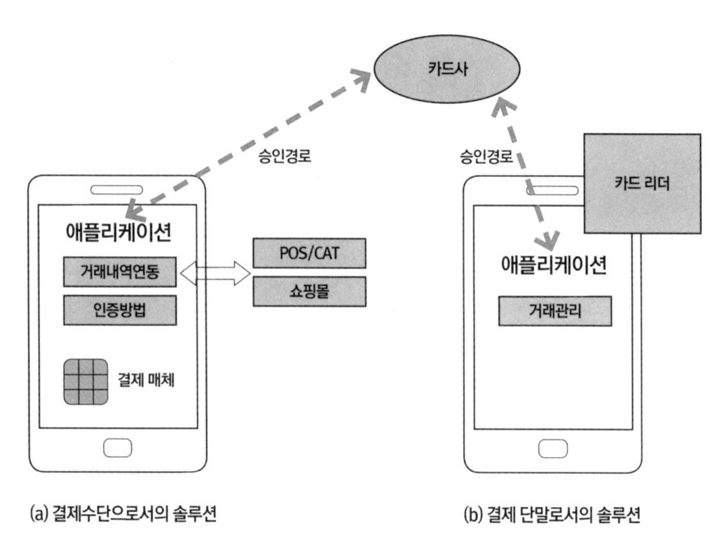

〈모바일 결제 솔루션의 구성〉

### ● ● ● 결 제 매 체

모바일 결제에서 결제매체는 두 가지 형태가 있다. 모바일 카드 발급과 플라스틱 카드 등록이 그것이다. 모바일 카드 발급은 제2장에서 자세히 다루어졌듯이 유심 등의 SE Secure Element에 카드를 직접 발급하는 방식을 말한다. 플라스틱 카드 등록은 기존 발급받아 고객이 소지하는 플라스틱 카드를 카드번호, 유효기간, 카드 비밀번호 등을 이용해 등록하는 방식이다.

모바일 카드 발급방식은 신규 카드의 발급이기 때문에 신청, 심사, 발급, 다운로드 등의 복잡한 과정을 거치게 된다. 이는 일반 플라스틱 카드의 발급절차와 같은 과정이다. 신청은 플라스틱 카드와 같게 카드사에 종이 신청서 접수, 전화 통화 신청, 인터넷 또는 모바일 상 입력에 의한 접수가 가능하다. 신용카드는 신청자 신용에 관한 심사과정이 포함되며 체크카드는 연계되는 은행계좌에 대한 유효성 검증을 거치게 된다.

모바일 카드가 유심에 발급되는 경우에는 통신사에 발급 가능 여부 확인이라는 과정이 포함된다. 통신사에서는 해당 유심 칩이 모바일 카드 발급이 가능한지, 고객이 사용하고 있는 스마트폰이 NFC 기능이 탑재됐는지를 확인해 카드사에 알려준다. 이렇게 발급된 모바일 카드는 스마트폰 앱을 이용해 유심 칩에 다운로드하게 된다. 이러한 다운로드 과정에 대해서는 2항에서 자세히 다루고 있다.

플라스틱 카드를 등록하는 방식은 통상 앱 방식 모바일 결제로 분류되는 솔루션에서 일반적으로 사용되고 있다. 등록을 위해서는 보통 고객이 실제 플라스틱 카드의 명의자이며, 현재 플라스틱 카드를 소지하고 있는지를 확인한다. 명의자 여부 확인은 다음 글인 '인증방법'에서 다루어진다. 플라스틱 카드 소지 여부는 통상 카드번호 16자리와 유효기간, CVC 코드(또는 CVV 코드)와 카드 비밀번호를 입력해 카드사에서 입력정보가 올바른지 확인해 이루어진다.

이 두 가지 확인이 완료되면 입력된 카드를 해당 솔루션의 서버에 등록하거나 앱 내에 암호화된 데이터 형태로 저장한다. 이 암호화 데이터는 PKI**Public Key Infrastructure**기반의 인증서 형식으로 저장된다. PKI기반 인증서는 어떤 데이터에 대해 사용자의 인증서로 전자서명한 데이터로써 암호화돼 보관되기 때문에 안전하고 결제할 때 사용자가 이 인증서로 전자서명을 해 본인이 사용한다는 것을 입증할 수 있는 구조를 가진다.

결제매체에 따라 결제행위가 갖는 의미 또한 달라진다. 모바일 카드는 스마트폰을 통해 제시하게 된다. 이는 플라스틱 카드에 있어서 지갑에서 카드를 꺼내 가맹점 계산대에 제시하는 것과 같은 효과를 보게 된다. 오프라인 거래에서는 NFC 터치를 통해 모바일 카드가 전달이 되며 온라인 거래에서는 유심에 저장된 카드를 결제 솔루션 앱이 읽어서 쇼핑몰이나 결제를 중계하는 업체로 전송하게 된다.

플라스틱 카드를 등록해 사용하는 솔루션은 해당 카드를 사용하겠다는 의사에 대해 카드 명의자 본인인증을 하는 것이다. 명의자 본인이 특정 카드를 사용하겠다는 의사를 인증기술을 통해 확인한 것을 신뢰해 카드사에서는 결제에 대한 승인을 처리하는 방식이 된다.

**모바일 카드 발급과 모바일 결제 등록 비교**

| 구분 | 모바일 카드 | 모바일 결제 |
|---|---|---|
| 발급·등록 | 신규 카드 발급 | 기존 카드 등록 |
| 저장 위치 | Secure Element(USIM, Micro SD 등) | Server 또는 App Memory |
| 저장 형태 | 신용카드 IC 칩 스펙에 따른 카드정보 | Server-가상카드번호<br>App Memory-암호화 데이터 |
| 결제행위 | 카드 제시 | 카드 사용 의사 확인 |

### ● ● ● 인증방법

모바일 결제에서 모바일 카드를 발급하거나 플라스틱 카드를 등록할 때 등록하는 행위를 하는 사용자가 누구인지를 먼저 확인한다. 이 과정을 본인인증이라고 한다. 모바일 카드의 신청은 이렇게 확인된 사용자의 명의로 신청된다. 플라스틱 카드를 등록할 때는 확인된 사용자의 명의가 등록되는 카드의 소지자와 같은지를 확인한다. 보통 사용자 명의 확인을 위해서는 통신사에 등록된 스마트폰 가입 명의자를 확인하거나 우리나라는 공인인증서를 검증해 확인한다.

또한 결제과정에서 카드를 발급하거나 등록한 본인이 결제를 수행하고 있는지를 매번 확인한다. 모바일 카드는 카드를 제출하는 방식이므로 해당 카드가 저장된 스마트폰을 소지하고 있어야만 결제할 수 있다. 이렇게 카드가 저장된 스마트폰 소지자가 정확한 카드 비밀번호를 입력하면 카드 명의자 본인이 확인된 것으로 인정할 수 있다.

플라스틱 카드가 서버에 등록되는 경우에는 결제를 위한 별도의 비밀번호를 설정하는 경우와 결제 비밀번호를 설정하지 않으면 매번 거래 시마다 고객이 소지한 스마트폰으로 OTPOne-Time Password(일회용 비밀번호)를 전송하는 방식이 있다. 이 경우는 전송받은 OTP를 쇼핑몰 화면에 입력하거나 바코드 형태로 오프라인 매장의 결제 단말에 읽혀서 거래가 이루어진다.

PKI 인증서 방식은 해당 인증서를 로드하기 위한 암호화 저장용 비밀번호를 입력하고 복호화를 통해 로드된 인증서로 거래 내역을 전자서명해 서버로 전송한다. 전송된 전자서명을 서버에서 유효성을 검증함으로써 본인인증이 이루어지게 된다.

### ● ● ● 거래내역 연동

카드 결제의 거래 승인을 위해서는 결제할 카드 정보와 결제할 가맹점, 결제 금액이 카드사에 전달돼야 한다. 또한 거래 내역과 결제할 금액을 카드 회원이 먼저 확인할 필요가 있다. 이는 모바일 결제에서도 같다. 따라서 거래 내역이 고객이 사용하는 결제 솔루션에 전달돼야 한다.

결제수단으로 구현된 솔루션은 대부분 온라인 거래의 거래 내역을 결제 솔루션에 전달받는 기능을 가진다. 오프라인 거래에 사용되는 경우 승인 경로가 가맹점의 결제 단말기가 아닌 고객의 모바일 결제 솔루션을 통해 카드 거래 승인을 처리하도록 구성된 경우 역시 가맹점 결제 단말로부터 거래 내역을 전달받는다. 이렇게 전달받은 거래내용을 사용자가 확인 후 본인인증을 수행하게 된다.

### ● ● ● 카드 리더

스마트폰이 결제 단말로 사용되는 mPOS 경우 카드 리더 기능을 갖게 된다. 카드 리더는 주로 이어폰 잭, 아이폰, 안드로이드폰의 하단부에 있는 데이터 인터페이스 슬롯을 통해 장착되는 주변 장치로 구성된다. 또한 NFC 기능을 탑재한 스마트폰은 NFC 리더 기능을 카드 리더로 사용하기도 한다.

스마트폰에 장착하는 주변 장치는 플라스틱 카드의 자기 띠

Magnetic Stripe를 스와이핑하는 슬롯을 갖는 것이 주종을 이룬다. 이러한 장치에 NFC 리딩 기능을 추가로 탑재한 솔루션도 나오고 있다. NFC 리딩 기능은 비접촉 결제기능이 탑재된 플라스틱 카드나 모바일 카드를 터치해 결제처리를 할 수 있도록 지원한다. 스마트폰의 NFC 기능을 리더로 이용하는 경우에도 역시 동일하게 처리한다.

리더 기능을 이용해 읽은 카드정보와 입력된 가맹점 거래 내역을 함께 카드사로 전송해 거래 승인처리를 하는 방식으로 결제가 이루어진다.

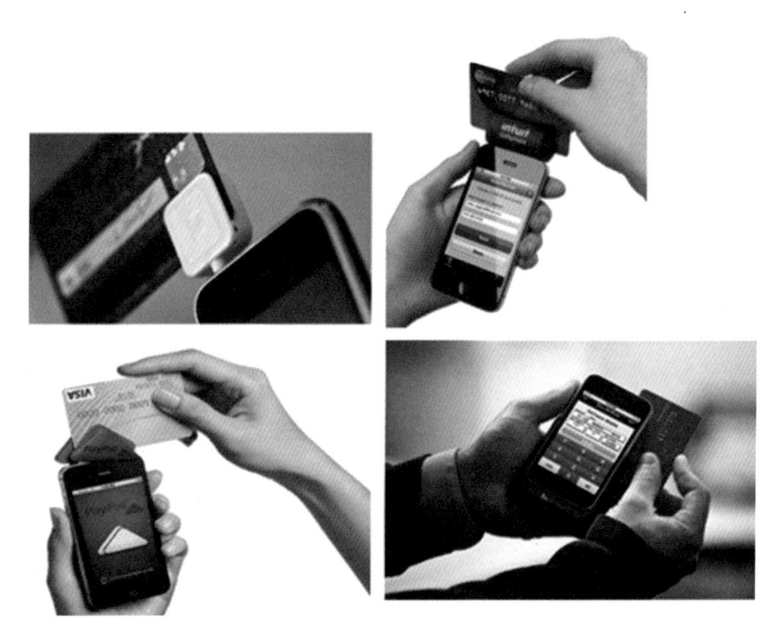

〈여러 가지 형태의 카드 리더〉

### ●●● 애플리케이션

고객용 결제수단 형태의 솔루션은 모바일 카드 발급이나 플라스틱 카드 등록기능과 결제를 위한 본인인증 기능으로 구성된다. 이를 위한 보안 솔루션을 탑재하게 되며, 카드사나 솔루션 회사의 서버와 통신기능을 가진다. 모바일 결제의 애플리케이션은 기술적으로 세 가지 방식으로 구현된다. 이에 대해서는 제2절에서 논하고 있다.

결제 단말 형태의 솔루션은 카드 리더와의 데이터 인터페이스 기능과 거래 내역 입력기능 그리고 결제 승인처리 기능으로 구성된다. 이에 더해 가맹점 판매품목 관리나 매출내용 관리, 고객관리 등의 가맹점 기능이 부가적으로 구성된다.

가맹점 결제 단말로 사용되는 만큼 가맹점주 외에 종업원이 결제하는 때도 있을 수 있으므로 결제를 수납하는 종업원 단말기에 대한 관리 또한 주요 기능 중 하나가 될 수 있다. 결제 단말 솔루션은 카드 리더 기능의 주변 장치 또는 스마트폰에 탑재된 NFC 기능을 활용하는 기술적 요소 때문에 스마트폰 앱 또는 다른 앱에 탑재되는 API 형태로 구현되며 모바일 웹 방식으로 구현되지는 않는다.

### ●●● 승인 경로

일반적인 카드 결제의 승인처리 경로는 고객이 제시한 카드 정보와 입력된 거래 내역 정보를 가맹점 단말을 통해 카드사로 요청되는 방식이다. 기존 플라스틱 카드는 정적인 데이터를 보관하는 매체이기 때문에 고객이 직접 카드사에 승인처리를 할 수가 없다.

하지만 모바일 결제에는 고객의 결제수단이 연산, 입출력과 통신 기능을 모두 갖추게 된다.

따라서 기존의 승인 경로와 다른 방향으로 승인 경로의 구성이 가능하다. 즉 고객의 결제 솔루션에서 가맹점 거래 내역을 입력받아 본인인증을 하고 해당 카드 정보와 가맹점 거래 내역을 카드사로 전송해 승인을 얻는 방식으로 구성할 수 있다. 이 결제 결과를 최종적으로 가맹점에 전달해 주어 가맹점에서 인식할 수 있도록 해주면 마무리된다. 이러한 구성은 기존에 가맹점과 카드사의 승인 경로를 중개하는 VAN사의 시스템과 수수료 체계, 영업 형태까지 영향을 미칠 수 있다. 이 부분에 대해서는 제2절 3항에서 다시 살펴볼 예정이다.

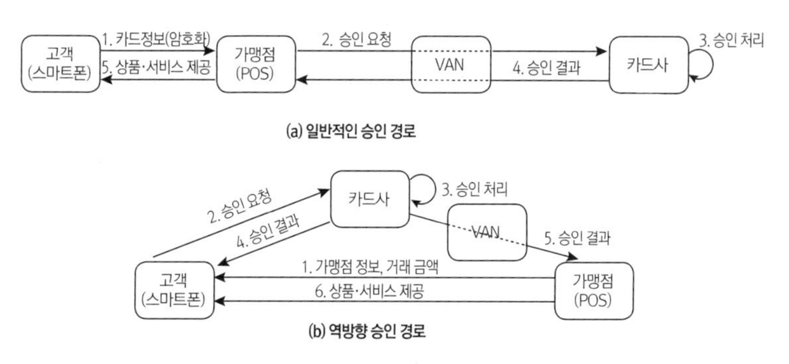


〈일반적인 승인 경로와 역방향 승인 경로〉

## 애플리케이션 구현방식 분류

모바일 결제 솔루션의 구성요소 중 애플리케이션 부분은 아래와 같은 세 가지 기술적 방식으로 구현될 수 있다. 앞서 제1절에서 언급한 것과 같이 결제 단말방식의 모바일 결제 솔루션에서 가맹점 애플리케이션은 스마트폰 앱이나 API 형태로 구현된다. 이 절에서 다루는 애플리케이션은 결제수단으로서의 모바일 결제 솔루션의 고객용 애플리케이션을 말한다.

1) 스마트폰 앱으로 구현되는 방식
2) API로 구성되는 방식
3) 모바일 웹으로 구현되는 방식

**애플리케이션 구현방식 비교**

| 구분 | | 스마트폰 앱 | API | 모바일 웹 |
|---|---|---|---|---|
| 거래 유형 | 오프라인 | O (바코드) | X | X |
| | 타 채널 전자상거래 (e커머스, t커머스 등) | O (SMS, Push) | X | X |
| | m커머스 | O | O | O |
| | 앱 내 구매 | X | O | X |

### ●●● 스마트폰 앱 구현방식

모바일 결제 솔루션은 첫 번째 스마트폰 앱으로 구현되는 것이 대다수이다. 앱으로 구현되는 방식의 장점은 m커머스 결제뿐 아니라 오프라인 거래와 e커머스나 t커머스 등 다른 채널에서의 전자상거래 결제까지 연동할 수 있다는 장점이 있다.

우리나라는 2010년 브이피에서 2007년부터 피처폰에서 BC카드와 KB국민카드 회원을 대상으로 서비스를 제공하고 있던 모바일 안전결제(모바일 ISP, mISP)를 2010년에 아이폰과 안드로이드 앱으로 구현한 것이 그 시초이다. 이후 통신사를 중심으로 KT의 모카페이MoCa pay, SK플래닛의 페이핀PayPin이 2012년 출시됐다.

2013년에는 스마트폰 제조사인 삼성전자에서 삼성월렛을, 통신사업과 신용카드 결제 중개사업(PG, Payment Gateway)을 함께하고 있는 LG U+에서 원페이OnePay를 출시해 시장에서 가맹점 확대 경쟁을 벌이고 있다. 또한 2013년에는 우리나라의 신한카드, 삼성카드, KB국민카드, 현대카드, NH카드, 롯데카드의 6개 카드사가 컨소시엄을 구성해 앱카드라는 이름의 앱 방식 모바일 결제 솔루션을 출시하기도 했다.

국외의 경우 앱 방식으로 구현되는 솔루션은 주로 스퀘어와 페이팔 히어 등의 결제 단말형 솔루션이며 고객이 사용하는 결제수단형 솔루션은 많지 않다. 결제수단형 솔루션의 사례 중 하나는 스퀘어 월렛이 스타벅스와 제휴해 QR코드를 생성해 결제하는 방식의 파일럿 서비스를 제공 중인 것이 있다. 온라인 거래에서는 아마존 등의 주요 쇼핑몰이 고객 계정에 결제할 카드번호를 사전에 등록해 놓는 방식을 쓰고 있고, 기타 쇼핑몰들은 대부분 비자의 3-D 시큐어Secure 방식을 사용하기 때문에 온라인 거래용 모바일 결제 솔루션이 발달되어 있지 않다.

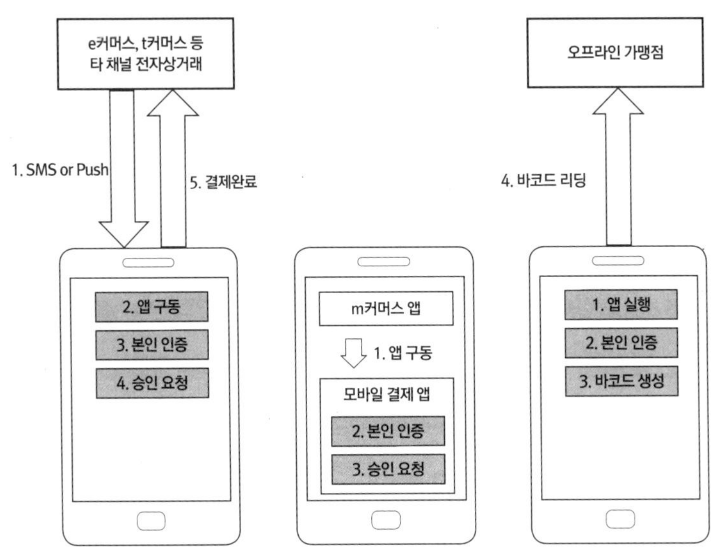

〈스마트폰 앱 구현 솔루션의 작동 예 : 모바일 ISP〉

### ●●● API 구현 방식

두 번째 구현 방식인 API 형태는 스마트폰 앱 내에서 구동되는 방식이다. 주로 게임이나 콘텐츠 앱에서 아이템 구매, 앱 업그레이드 구매 등 실물 상품이 아닌 거래에서 사용된다. 이러한 거래를 '앱 내 구매(인-앱 구매)'라고 한다.

솔루션 제공사는 결제 화면을 호출하는 API를 앱 개발자에게 제공한다. 앱 개발자들은 자신이 제작하는 앱 내에서 결제가 필요할 때 해당 API를 호출하도록 구성한다. 이 API는 결제 솔루션 화면을 앱 위에 팝업 형태로 띄우게 된다. 사용자는 이 화면에서 연동이 된 결제 계정의 비밀번호를 입력해 인증받으면 미리 등록된 카드를 선택해 결제를 완료하게 된다.

아이폰은 앱 내 구매에 대한 결제를 반드시 애플의 아이튠즈 계정 결제로만 서비스되도록 제한하고 있다. 안드로이드는 구글 체크아웃 결제 사용도 가능하며, 다른 결제 솔루션도 허용하고 있다. 구글 체크아웃 이외에 안드로이드 앱에서 가장 많이 사용되고 있는 앱 내 구매 결제 솔루션은 페이팔이다.

우리나라는 인 앱 구매를 위한 API 형태로 제공되는 결제 솔루션은 없다. API 형태로 앱 내에 연동하기 위해서는 단순한 사용자 인터페이스 제공이 가능해야 해서 앞서 살펴본 애플 아이튠즈 계정이나 구글 체크아웃, 그리고 페이팔 모두 카드번호를 사전에 솔루션 제공사에 등록해놓는 구조이다. 우리나라 금융감독 당국에서는 보안 이슈로 이러한 방식을 인정하지 않기 때문이다. 그리고 거래 시마다 본인인증을 반드시 거치도록 규정돼 있고 각종 보안 솔루션을 탑재하게 돼 있어 앱 내 구매를 위한 결제에 적합하지 않다.

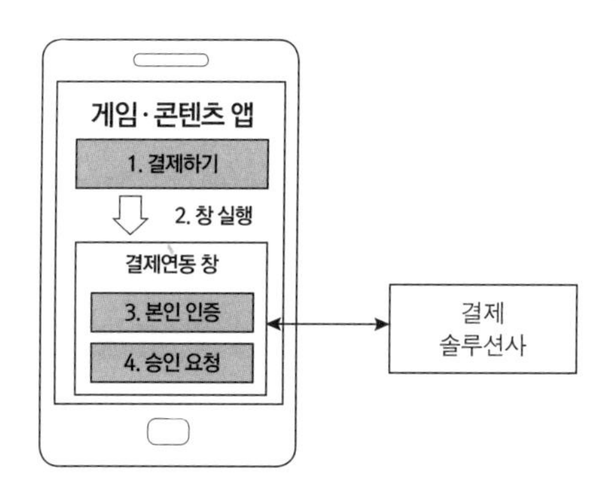


〈API 구현 솔루션의 작동 예 : 구글 체크아웃〉

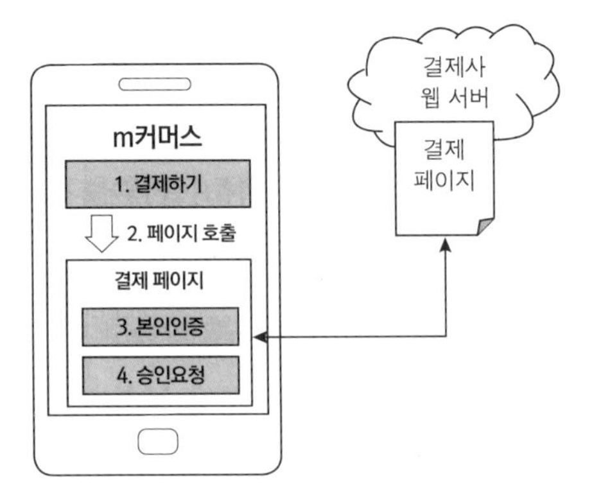


〈모바일 웹 구현 솔루션의 작동 예 : 스피드 ISP〉

### ● ● ● 모바일 웹 구현방식

모바일 웹으로 구현되는 경우 m커머스 쇼핑몰에 적용된다. 이 방식은 오프라인 거래나 타 채널을 통한 전자상거래(e커머스, t커머스)와의 연동은 불가능하다. 이 방식은 별도의 앱을 추가로 설치하고 실행하지 않아도 되기 때문에 쇼핑몰이 선호한다. 국외는 앱 구현 방식 부분에서 언급했듯이 아마존 등 대형 쇼핑몰이 자사 서버에 고객의 카드번호를 저장하는 방식으로 웹 화면 내에서 간편 결제가 가능하다.

우리나라는 금융보안 정책상 이러한 서비스를 허용하지 않고 있다. 최근 카드사들은 실제 카드와 매핑되는 가상의 카드번호를 발급해 이를 쇼핑몰에서 저장하는 방식으로 웹 솔루션을 만들기 시작했다. 삼성카드의 간편 결제와 BC카드의 스피드 ISP가 웹 방식 솔루션으로서 쇼핑몰에 적용돼 있다.

# 02 모바일 결제 솔루션의 상거래 적용

## 온라인 거래 적용

모바일 결제는 모든 종류의 온라인 결제에 적용할 수 있다. 기존의 인터넷 전자상거래(e커머스)는 물론이고, 주로 게임 아이템이나 앱 업그레이드 또는 콘텐츠를 앱에서 구매하는 앱 내 구매 결제와 스마트폰 사용이 활발해짐에 따라 빠르게 성장하고 있는 모바일 전자상거래(m커머스), IP-TV나 스마트TV에서의 TV 전자상거래(t커머스) 등의 분야에 모두 적용할 수 있다.

스마트폰을 이용한 결제가 PC, TV 등 인터넷 연결이 가능한 다른 커넥티드 디바이스를 이용하는 상거래 결제까지 확장 가능한 이유는 두 가지이다. 첫째, 스마트폰은 휴대가 간편한 개인화된 디바이스이기 때문에 다른 디바이스를 이용하고 있을 때도 소지하고 있을 가능성이 매우 높다. 둘째, 문자 메시지SMS나 푸시 메시지로 특정 단말에 거래 내역 전송 및 결제 애플리케이션 기동이 가능하다.

인-앱 구매에 대한 결제는 주로 API로 구성돼 제공된다. 애플리케이션 개발 과정에서 쉽게 호출할 수 있는 환경을 제공해줌으로써 수많은 애플리케이션 개발자를 통해 빠른 확산을 할 수 있다.

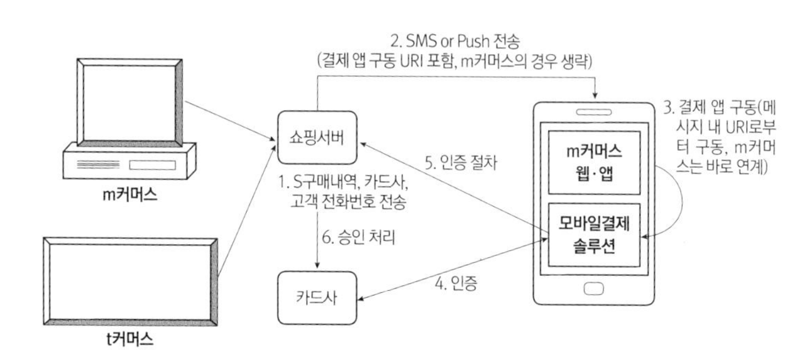


〈전자상거래와 모바일 결제 솔루션의 관계〉

### ● ● ● m커머스 연동

m커머스는 쇼핑몰 앱 또는 모바일 웹 쇼핑몰을 통해 스마트폰에서 이루어지는 전자상거래를 말한다. 모바일 결제의 m커머스 연동은 주로 앱 간(앱-to-앱) 호출방식에 의해 이루어진다. 모바일 결제 솔루션 앱은 URIUniform Resource Identifier라는 형식으로 호출된다. URI는 온라인상의 다양한 자원(문서, 사진, 멀티미디어, 앱 등)에 대한 식별규격이다.

쇼핑 앱에서 모바일 결제 솔루션 앱을 호출할 때 결제 앱에서 정한 형식에 따라 쇼핑몰 ID, 거래 번호, 선택한 카드사, 구매물품명,

결제 금액 등 거래에 필요한 내역 데이터를 파라미터로 호출하게 된다. 결제 앱이 호출되면 사용자 고객으로서는 쇼핑몰 앱 또는 웹 브라우저가 종료되고 결제 앱이 실행된다. 실제 쇼핑몰 앱이나 웹 브라우저는 스마트폰 화면에 보이지 않을 뿐 종료되지는 않고 결제 완료를 대기하게 된다.

결제 앱은 이렇게 전달받은 거래 내역 데이터를 고객에게 보여주고, 미리 등록된 카드 중 결제할 카드를 선택하게 한다. 만약 미리 등록된 카드가 없는 경우 카드 등록 프로세스를 진행하게 된다. 고객은 선택한 카드로 결제하게 되고, 결제 결과는 결제 솔루션 회사의 결제 서버와 쇼핑몰 서버 간 통신을 통해 전달돼 구매가 완료된다.

### ●●● 앱 내 구매 연동

앱 내 구매의 결제는 주로 앱 내(앱-in-앱) 호출방식에 의해 이루어진다. 앱 내 구매를 포함하는 개발자는 결제가 필요한 부분에 결제 솔루션 회사에서 제공하는 API를 사용해 결제 솔루션을 호출한다. 역시 API의 파라미터로 m커머스 연동 시와 같은 거래 내역 데이터를 결제 솔루션에 제공하게 된다. 고객은 사용하고 있던 앱 내에 결제 화면이 나타나게 되고 역시 등록한 카드를 선택해 결제하게 된다. m커머스 결제와 앱 내 구매 결제는 별도의 결제 앱이 실행되느냐 아니면 현재 사용하고 있는 앱 내에서 결제가 이루어지느냐의 차이만 있을 뿐, 나머지 결제과정과 결제 결과가 전달되는 것은 같다.

### ●●● 타 채널 전자상거래 연동

1990년대 초반부터 인터넷에 연결된 PC를 이용한 전자상거래(e커머스)가 등장해 급격하게 성장해 왔다. 우리나라는 전자상거래가 전체 민간 소비에서 차지하는 비중이 10퍼센트가량이나 된다. e커머스 결제의 가장 큰 단점은 PC가 개인화된 기기가 아니라는 점에서 기인한다.

스마트폰 대비 PC는 여러 사람이 사용할 수 있다. 따라서 하나의 카드로 가정과 직장에서 또는 다른 공공장소의 PC에서 결제할 수 있게 하려고 매번 카드번호를 입력하게 하거나, 다른 PC에 카드를 다시 등록해야 하는 불편함이 존재했다. 모바일 결제가 타 채널 전자상거래 연동에서 주목받는 이유는 이 절의 서두에 기술했듯이 스마트폰은 대부분 개인화된 기기라는 점 때문이다.

최근에는 스마트폰의 사용성을 가지며 작은 노트북 화면 정도의 태블릿 제품이 등장해 많이 사용되고 있다. 따라서 PC가 아닌 태블릿에서 전자상거래를 이용하는 고객들이 점차 늘고 있다. 또한 스마트TV와 같이 인터넷 연결이 가능한 TV가 등장하거나 기존 IP-TV에서 상거래 기능이 강화돼 가고 있어 앞으로 t커머스도 활성화될 것으로 예상하고 있다.

결국 모바일 결제는 m커머스나 앱 내 구매뿐 아니라 e커머스, t커머스 등 다른 채널의 전자상거래 결제에서도 유용하게 이용될 수 있다. e커머스 연동방식을 예로 그 과정을 살펴보겠다. e커머스 쇼핑몰에서 결제 시점에 모바일 결제를 선택하게 되면 해당 결제 솔루션이 설치된 스마트폰의 휴대전화번호를 입력하게 된다. 거래 내역 데이터는 쇼핑몰 서버에서 결제 솔루션 회사 서버로 전송되고 해당 스마트폰으로 문자 메시지 또는 푸시 메시지를 전송한다.

문자 메시지를 전송받는 경우 해당 솔루션을 실행하기 위한 웹페이지를 호출해 결제 앱이 실행된다. 푸시 메시지를 수신하면 연동된 결제 앱이 실행된다. 결제 앱 실행 이후 서버를 통해 전달된 거래 내역이 결제 앱 화면에 보이게 되며 고객은 이 내역을 확인하고 결제할 카드를 선택해 결제하게 된다.

거래 내역을 전달하는 방법은 문자 메시지나 푸시 메시지 전송 이외에 QR코드를 이용한 연동방법이 있다. e커머스에서 모바일 결제를 선택하면 PC 화면에 거래 내역 데이터를 포함하는 QR코드를 생성해 보여준다. 사용자는 해당 결제 앱을 실행해 이 앱에 포함된 QR코드 리더를 선택한다. 결제 솔루션은 PC 화면에 보인 QR코드를 읽어 거래 내역을 앱에 보여주고 결제를 진행하게 된다.

t커머스의 경우 TV 화면에 결제할 고객의 스마트폰 휴대전화번호를 입력해 문자 메시지나 푸시 메시지를 이용해 연동하는 방식 이외에 TV 리모컨을 이용하는 방식이 있다. 2010년 일본의 소니는 TV 리모컨에 NFC 리더 기능을 포함해 RF 기능을 탑재한 플라스틱 카드나 NFC 모바일 카드를 터치해 TV로 카드정보를 전송해 결제가 이루어지는 서비스를 선보이기도 했다.

## 오프라인 거래 적용

오프라인 매장에서 모바일 결제가 사용되는 방식은 앞서 기술한 두 가지 방식이 있을 수 있다. 첫째, 스마트폰이 결제 수단이 되는 경우이다. 둘째, 스마트폰이 가맹점 단말이 되는 경우이다. 그 중 첫째는 온라인과 오프라인 거래 모두에서 사용되는 방식이고 둘째는 오프라인에서만 사용되는 방식이다.

### ● ● ● 스마트폰이 결제수단이 되는 경우 mPOS

이 경우는 고객이 카드를 발급 또는 등록하고 결제 카드 정보를 여러 가지 인터페이스 방식을 통해 오프라인 가맹점 결제 단말에 전달해 카드사로 전송해 승인을 처리하는 경우이다. 가맹점 결제 단말은 단순히 카드 거래 처리만을 담당하는 CAT(카드 조회기)이나 POS를 말한다. 일반적인 CAT이나 POS에는 모바일 결제 인터페이스를 갖고 있지 않다. 모바일 결제 인터페이스를 할 수 있는 주변 기기를 설치해야 한다. 모바일 결제 인터페이스로는 NFC, 바코드, QR코드 세 가지 방식이 있다.

모바일 카드가 매체가 되는 경우 NFC의 카드 에뮬레이션 모드를 이용해 터치 방식으로 카드 정보를 전달하게 된다. 현재까지 나와 있는 방식 중에는 NFC 카드 에뮬레이션 모드에서의 터치 방식이 가장 사용하기가 편리하다.

바코드 결제는 고객이 선택한 카드에 대응되게 결제 앱에서 생성한 일회용 바코드를 바코드 리더로 읽어 카드사에 전송한다. 카드사에서는 일회용으로 생성된 바코드 번호에 대응되는 고객이 선택한 카드를 찾아 해당 카드로 승인처리를 한다.

QR코드 결제는 바코드 결제와 같은 방식인데, 일차원 바코드가 아닌 QR코드를 화면에 생성한다는 점이 다르다.

바코드 결제와 QR코드 결제는 주로 플라스틱 카드를 등록해 사용하는 솔루션에서 이용된다. 플라스틱 카드 등록방식에서는 NFC 카드 에뮬레이션 모드를 사용할 수 없다. 이 방식에서 NFC P2P 모드를 사용하는 솔루션도 최근 등장하고 있다. 이 방식도 NFC 카드 에뮬레이션과 마찬가지로 터치 방식으로 결제되지만 매번 결제 앱을 실행해야 한다는 점에 차이가 있다.

플라스틱 카드 등록방식은 그 연동 인터페이스가 바코드, QR코드, NFC P2P 모드 어느 것인지에 관계없이 모바일 카드 발급방식 대비 사용이 불편하다. 매번 결제 시마다 스마트폰을 열어 결제 앱을 실행하고 결제할 카드를 선택해 바코드나 QR코드 또는 NFC P2P 데이터를 생성해야 한다. 반면 모바일 카드가 발급된 경우 주 카드를 변경하지 않는다면 스마트폰 터치만으로 결제가 이루어지는 장점이 있다.

가맹점으로서는 NFC 동글이 바코드 리더보다 아직 상대적으로 비싸다는 단점이 있다. QR코드 리더는 역시 바코드 리더 대비 가격이 비싸다. 이와 같은 상황에서 가맹점은 모바일 결제 거래가 활발해진 이후에나 자발적으로 이러한 주변 기기를 갖추게 될 것으로 예상한다.

다음 표는 인터페이스 방식에 따른 장단점과 방식별 국내 주요 솔루션의 기능 지원 현황을 보여주고 있다.

**오프라인 결제 연동방식 비교(방식별 주요 솔루션 내용 포함)**

| 구분 | NFC 카드 에뮬레이션 모드 | 바코드, QR코드, NFC P2P 모드 |
|---|---|---|
| 온라인 결제 | - 카드 선택 후 카드 비밀번호 입력 | - 별도 등록 패스워드 입력 |
| 오프라인 결제 | - 동글에 스마트폰 터치<br>- 앱 실행 불필요<br>- 전원 꺼진 상태 결제 가능 | - 리더기에 바코드, QR코드 스캐닝 또는 NFC P2P는 동글에 터치<br>- 반드시 잠금화면 해제, 앱 실행 후 패스워드 입력하여 결제해야 함 |
| 단말 가격 | - NFC 동글 5만~20만 원대 | - 바코드 리더 3만~6만 원대<br>- QR코드 리더 약 10만 원대 |
| 국내 솔루션 | - 모바일 카드 | - 앱카드 |

### ● ● ● 스마트폰이 가맹점 단말이 되는 경우 mPOS

2009년 미국의 스퀘어라는 회사는 앞서 언급한 CAT이나 POS 외에 스마트폰을 가맹점 결제 단말로 활용하기 위한 모바일 결제 솔루션을 내놓았다. 우선은 아이폰의 이어폰 잭에 꽂아 사용하는 자기 띠 리더기 형식의 솔루션으로서 인식해 카드 승인을 전송하는 결제 앱과 함께 사용하게 된다.

이후 페이팔은 페이팔 히어PayPal Here라는 유사 솔루션을 출시했다. 최근 이 리더기에 NFC 터치 기능이 추가되는 등 기능적으로 업그레이드된 솔루션이 속속 출현하고 있다. 우리나라에서도 PG사와 VAN사를 중심으로 이와 유사한 솔루션을 개발해 시장에 적용해 나가고 있다.

이러한 솔루션은 주로 고정된 매장이 있지 않은 간이 가판점, 프리랜서, 통신판매, 방문판매 등의 틈새시장이 주 보급 대상이 되고 있다. 국외는 우리나라 대비 가맹점의 POS 가격 부담이 크기 때문에 일반 매장이 있는 가맹점까지 타깃이 되고 있다. 우리나라는 VAN사에서 POS 가격을 부담해 가맹점 부담이 적다. 반면에 국외는 가맹점주가 POS를 구매해야 해서 이러한 스마트폰 단말 형태의 모바일 결제 솔루션이 시장에서 주목받을 수 있었던 것으로 보인다.

## 승인 경로 구성방식

모바일 결제도 대부분 기존 전통적인 승인 경로 구성을 그대로 따른다. 즉 결제수단이 되는 스마트폰으로부터 가맹점 단말에 카드 정보를 전달해 VAN사를 거쳐 카드사에 전달되는 과정으로 이루어진다. 모바일 결제는 결제수단이 정적인Static 정보만 담고 있는 플라스틱 카드 대비 프로세싱과 통신이 가능한 스마트폰이라는 점에서 이 과정을 반대로 구성할 수 있다.

가맹점에서 거래 내역 데이터(가맹점 ID, 거래금액)를 읽어서 결제할 카드 정보와 결합해 솔루션 회사를 거치거나 직접 카드사로 통보해 승인처리하는 과정으로 구성하는 것이다. 앞서 전통적인 승인 경로 구성을 정방향Forward direction 결제방식이라고 하고 후자를 역방향Reverse direction 결제방식이라고 부를 수 있다.

이러한 방식이 등장하는 배경은 기존 우리나라의 오프라인 가맹점 결제 네트워크 구성에 참여하는 플레이어가 복잡하게 얽혀 있어 비효율적인 비용이 발생하고 있다는 인식에서 기인한다. 만약 스마트폰을 통해 카드사로 직접 승인처리를 하게 된다면 모바일 기술을 활용해 결제시장의 효율화·합리화를 할 수 있는 것은 분명하다. 하지만 이러한 효율화·합리화가 당장 이루어지기에는 아직 몇 가지 장애 요소가 있다.

기존 승인 경로 상에는 가맹점, VAN, 카드사가 기본적으로 참여하고 있다. 전자상거래는 PG 사업자가 추가로 가맹점과 VAN 사이에서 승인 대행, 정산 중계 역할을 하고 있다. 간접적으로는 CAT, POS, 기타 각종 주변 기기를 제조하고 ASP 서비스를 제공하는 벤더들까지 이 시장에서 사업을 영위하고 있다고 볼 수 있다.

하지만 역방향 결제를 옹호하는 관점에서 보면 고객과 카드사를 직접 연결해 중간 유통경로에 놓여 있는 VAN 및 PG의 수익을 고객이나 가맹점에게 돌려줄 수 있다고 볼 수 있다. 또한 고객의 스마트폰 단말이 결제처리 역할을 담당하게 되면서 가맹점 결제 단말의 가격 인하 요인이 될 수 있다. 하지만 현재 시장은 이런 장점이 모든 거래에 일반적으로 적용되기는 어려운 점이 많다.

역방향 결제는 정방향 결제에 비하여 첫째, 현재 가맹점이 보유하고 있는 POS 수정 개발량이 크다. 둘째, 기존 시장에서 역할을 하고 있는 VAN의 역할 축소 또는 배제하는 문제점이 있다. VAN은 실제 가맹점을 영업해 POS 개발이나 단말 설치 등을 하고, 새로운 결제방법을 교육하는 등 신규 결제 서비스 확대 추진을 가장 잘할 수 있는 주체이다. 하지만 이러한 VAN을 활용할 수 없게 된다는 점이 역방향 모델의 가장 큰 현실적 어려움이다.

반면 고객의 역할은 증대되게 된다. 기존 모바일 결제 고객은 바코드가 생성된 스마트폰을 가맹점 계산원에게 넘겨주거나 NFC 단말에 스마트폰을 터치하기만 하면 간단히 결제가 완료될 수 있었다. 하지만 역방향 모델에서는 고객이 매 결제 시마다 거래 내역 데이터를 스마트폰으로 읽어들여 결제 솔루션 회사 또는 카드사와 데이터 통신을 통해 승인처리를 하고, 그 결과를 가맹점 단말에 안전하게 전달해야 하는 과정을 능동적으로 수행해야 한다. 따라서 고객으로서는 이러한 노력 대비 다른 이점이 주어져야 능동적으로 사용하게 될 것이다.

가맹점 처지에서는 결제 결과가 기존에 계약된 주체인 VAN 사업자를 통해 받는 것이 아니라 고객 스마트폰을 통해 전달을 받게 되므로 신뢰성이 담보될 수 있어야 한다. 이를 위해 승인처리는 고객 스마트폰을 통해 이루어지고, 결제 결과는 솔루션 회사에서 별도의 네트워크를 통해 가맹점 POS로 알려주도록 구성하기도 한다.

이러한 여러 문제점이 존재하므로 시장에서 역방향 승인 경로를 실현하기 위해서는 세 가지 측면에서 고려할 필요가 있다. 먼저 VAN이나 PG 등 기존 플레이어들의 수익 모델을 현재와 같이 유지해 주어야 한다. 비록 승인 경로가 바뀌지만 기존 결제방식에서 해당 가맹점 네트워킹을 책임지고 있는 VAN 수수료나 PG를 통한 승인 중계는 유지시켜야 시장 진입이 쉽다. 두 번째는 매번 결제 시 추가적 노력이 들어가는 고객에게 편리성의 이점이 있는 유형의 거래부터 공략해야 한다. 가장 쉽게 생각해 볼 수 있는 것은 대기시간이 아주 긴 가맹점을 대상으로 할 수 있다.

대형 푸드코트나 놀이공원 등의 시설에서 스마트폰 내에서 주문하고 결제하면 그 결과가 반영돼 대기시간을 줄여줄 수 있다면 시장에서 받아들일 수 있을 것이다. 마지막으로 가맹점에서 기존 방식으로 발생하는 거래와 마찬가지로 처리할 수 있도록 기술적인 지원이 필요하다. POS 수정을 통한 매출 데이터 반영, 주문처리 시스템 연계 등이 지원된다면 가맹점 수용도가 높아질 수 있을 것이다.

# 03 앞으로의 발전 방향

모바일 결제 솔루션들은 2000년대 초반부터 다양한 시도가 있었다. 하지만 피처폰의 열악한 화면 품질과 통신 속도 그리고 값비싼 데이터 통신비용 때문에 활성화되지 않았다. 최근 스마트폰 사용이 확산하면서 카드사들은 본격적으로 모바일 카드를 발급하기 시작했다. m커머스가 성장하면서 다양한 솔루션이 쏟아져 나오고 있다. 하지만 아직 어떠한 모바일 결제 솔루션도 시장에 안착해 대다수 고객과 가맹점 사이에서 사용되고 있지 않다. 피처폰 시절부터 10여 년간 시도돼온 역사에 비해 여전히 시장 초기 상황이라고 볼 수 있다.

여기에서는 모바일 결제가 왜 여전히 시장 초기 상황을 벗어나지 못하고 있는지, 어떤 솔루션이 돼야 시장에서 널리 받아들여져

쓰이게 될지를 살펴보도록 하겠다. 또 모바일 결제가 시장에 안착하기 위한 핵심 서비스가 어떤 분야인지도 살펴보겠다.

## 모바일 결제의 한계와 극복 방안

### ●●● 발급과 등록 편리성

결제매체가 유심, 마이크로 SD, 임베디드 SE 등에 발급되는 모바일 카드일 때 플라스틱 카드 대비 아직 기술적 안정성이 확보되지 못했다. 기존 플라스틱 카드는 카드사가 중심이 돼 직접 공카드, IC칩 등의 카드 원재료를 수급하고 발급 장비를 직접 갖추어 발급하고 있다. 따라서 원재료 수급 시 카드사가 직접 검수를 하고 발급 프로세스를 운영함으로써 안정화가 가능하다.

하지만 모바일 카드는 통신사, 스마트폰 단말, OS 버전, 펌웨어, 소프트웨어, 유심을 포함한 SE칩 등 발급과정에 영향을 미칠 수 있는 카드사 외적 기술요소가 너무나 다양하다. 게다가 사용자별로 개성이 반영된 스마트폰 환경 세팅—심지어 사용자가 배터리 커버를 탈착하는 일상적 습관을 포함해—이 모바일 카드 발급 안정성에 영향을 미치고 있다.

반면 플라스틱 카드를 모바일 결제 솔루션에 등록하는 과정은 비교적 안정적인 서비스 제공이 가능하다. 하지만 이 또한 우리나라는 여러 가지 보안 솔루션의 탑재 역시 스마트폰 단말 특성과 OS 및 관련 소프트웨어 특성에 어느 정도 영향을 받고 있다. 특정 앱이 실행 안 된다거나 실행 후 카드사 서버 접속이 되지 않는 일은 비일비재하다.

모바일 결제가 성공적이기 위해서는 가장 먼저 기술적 안정성 확보가 필수적이다. 유심 등 SE칩이 모바일 카드 발급에 안정적인 상황이 돼야 한다. 스마트폰 단말이나 OS 버전, 펌웨어 개발 시 모바일 카드 발급이나 금융 서비스 앱과 관련된 보안 솔루션의 작동 등에 대해 안정성을 고려해 제작돼야 한다. 통신사에서도 통신 환경이나 고객관리, 유심 칩 관리 등이 모바일 결제 서비스에 영향이 없도록 운영해야 한다. 카드사도 이러한 부분에 관해 되도록 독립적일 수 있는 솔루션을 창안할 필요가 있다.

### ●●● 통신 서비스와 운영 독립성

유심에 발급되는 모바일 카드의 경우 고객의 통신 서비스 이용 주기에 의존적 운영을 할 수밖에 없다. 일반적으로 카드의 유효기간은 5년이다. 5년간 사용하는 과정에서 분실, 훼손에 재발급하는 경우를 제외하면 비교적 안정적으로 서비스가 제공된다. 반면 통신 서비스는 통상 2년 이내의 주기로 통신사를 바꾸거나 단말기를 교체한다. 최근 피처폰에 비해 새로운 스마트폰 모델이 더 자주 출시되며 데이터 통신 품질도 지속적으로 개선되고 있어 단말기 교체 주기는 더욱 짧아지고 있다.

우리나라는 단말 유통이 통신사를 통해 이루어지는 구조로 되어 있어 단말기 교체는 대부분 통신사의 변경과 함께 이루어진다. 이렇게 되면 모바일 카드에 발급된 유심을 함께 교체하게 된다. 이외에도 스마트폰의 분실, 훼손, 고장은 지갑 또는 플라스틱 카드의 분실이나 훼손보다 훨씬 자주 일어난다.

여러 사유로 고객이 유심을 교체하면 기존에 발급받았던 모바일 카드도 반드시 다시 발급받아야 한다. 재발급은 신청과 심사과정이 없지만 본인인증 과정은 거쳐야 한다. 플라스틱 카드 등록방식의 서비스도 단말기 교체에 따라 다시 본인인증을 해야 기존에 등록된 카드를 모바일 결제에 이용할 수 있다.

모바일 결제 서비스가 물론 고객의 통신 서비스 이용 주기에서 완전히 독립적일 수는 없다. 하지만 성공적이고 기존 금융 서비스의 안정적 제공을 위해서는 되도록 영향을 받지 않는 구조를 고민하고 만들어야 할 필요가 있다.

### ●●● 오프라인 결제의 편리성

모바일 카드 매체를 이용하는 경우 오프라인 결제는 NFC 동글에 터치함으로써 이루어진다. 이 과정은 기존 플라스틱 카드의 자기띠를 스와이핑하는 과정과 대비해 사용 편리성이 나쁘지 않다. 하지만 바코드나 QR코드를 이용하는 결제는 플라스틱 카드 대비 많이 불편한 상황이다. 바코드나 QR코드 결제 시에는 매번 스마트폰 화면을 켜고 결제 앱을 실행해 카드를 선택하고 결제용 패스워드를 입력하고 바코드를 실행해서 가맹점 계산대에 제시해야 한다.

이러한 불편함을 극복하기 위해 바코드 결제와 다른 서비스를 묶어서 편리성의 부가적 가치를 제공하는 방법이 시도되고 있다. 우리나라 6개 카드사가 출시한 앱카드는 카드 결제용 바코드와 해당 가맹점 멤버십 바코드를 한 화면에 보여줌으로써 가맹점에서 바코드 리더로 차례로 읽어 처리할 수 있는 기능을 제공하고 있다. 또한 바코드 쿠폰을 함께 화면에 보여주는 방법도 한 방안이 될 수 있다.

### ●●● 오프라인 가맹점 인프라 확보

현재 우리나라의 NFC 결제 또는 바코드 결제가 가능한 가맹점 인프라는 미미한 수준이다. 모바일 카드 결제가 가능한 NFC 인프라 보급은 카드 매출 기준으로 전체 가맹점의 10퍼센트 수준, 개수로는 10만 개 가맹점 이하이다. 바코드 결제는 2013년 현재 출시 초기이므로 이제 오프라인 가맹점 확대를 시작하는 단계이다. 따라서 유심 모바일 카드나 앱 방식 모바일 결제 모두 현재는 온라인 거래를 중심으로 확대되고 있다.

모바일 결제가 활성화되기 위해서는 반드시 오프라인 가맹점 인프라가 충분히 확보될 필요가 있다. 가맹점 인프라는 NFC 동글 또는 바코드 리더와 같은 단말 보급과 모바일 결제 처리를 위한 POS 시스템 수정, VAN 시스템 수정 등의 작업이 필요하므로 막대한 비용이 소요되는 일이다. 이러한 비용을 특정 카드사나 솔루션사 또는 VAN 사업자가 부담하기는 어렵다. 따라서 고객의 니즈를 촉발해 자연스럽게 시장에서 확산돼야 한다.

고객의 니즈가 확산이 돼 가맹점이 고객 유치를 위해 모바일 결제 인프라를 갖출 수밖에 없는 구조를 고민해야 한다. 단순 결제 서비스만으로 해결될 것으로 보이지는 않는다. 이미 플라스틱 카드만으로도 원활하게 결제 서비스가 이루어지고 있기 때문이다.

결제 서비스에 가맹점 홍보·마케팅 서비스가 접목된다거나 고객에게 부가적인 가치를 제공할 수 있어야 자연스럽게 확산될 수 있다.

## 핵심 서비스 분야

모바일 결제 서비스가 온·오프라인 가맹점에서 일반적으로 사용될 정도로 활성화되기 위해서는 그전 단계로 쉽게 널리 사용될 수 있는 핵심 서비스 분야에서 먼저 확산되는 것도 한 방안이다. 이러한 핵심 서비스 분야로서는 교통과 m커머스를 들 수 있다. 여기에서는 이 분야들이 왜 모바일 결제가 쉽게 확산될 수 있는지, 그리고 현재 어떤 솔루션이 적용되고 있는지 살펴보도록 하겠다.

### ●●● 교 통

우리나라의 교통카드는 교통카드 사업자가 발급하는 선지급방식과 신용카드의 기능으로 탑재된 후지급방식의 두 가지가 있다. 선지급방식은 카드에 붙어 있는 IC칩에 충전 금액이 저장된다. 후지급방식은 버스나 지하철의 교통카드 단말기에 어떤 카드로 거래했는지 기록하고 사후에 이 데이터를 취합해 교통카드사와 신용카드사 간에 사용 금액을 정산한다.

선지급 교통카드는 2005년 유심에 탑재되기 시작한 이후 현재 대부분의 유심에 미리 발급된 상태로 배포되고 있다. 또한 일부 교통카드는 OTA 방식으로 발급받을 수 있다. 이러한 모바일 교통카드는 충전기에 스마트폰을 얹어놓고 충전할 수 있다. 또한 교통카드사의 앱에서 신용카드나 계좌이체로 충전할 수 있다. 이는 플라스틱 선지급 교통카드에는 없었던 서비스이다.

스마트폰에서 인터넷을 이용해 신용카드나 계좌이체로 결제하고 결제 결과를 수신한 교통카드사가 앱을 이용해 유심에 잔액을 변경함으로써 충전이 이루어진다. 그렇게 충전된 후에 사용자는 버스나 지하철의 교통 단말에 휴대전화를 갖다대 이용한다. 충전을 보다 간편하게 할 수 있게 하려고 일정 잔액 이하로 떨어지면 정해진 상한 금액까지 충전되는 자동 충전 서비스도 확산되고 있다.

모바일 후지급 교통카드는 2013년 12월 울산광역시에서 최초로 시범 서비스가 개시된다. 모바일 신용카드와 연계해 후지급 교통카드를 발급하며, 교통 이용 대금은 신용카드 대금과 함께 청구되는 방식이다. 앞으로 점차적 지역 확산을 계획하고 있다.

### ● ● ● m커머스

1990년대 후반 인터넷 사용이 확산되면서 e커머스가 등장해 지속 성장해 왔다. m커머스는 e커머스의 스마트폰 버전으로서 유사한 결제 솔루션의 이용이 가능하다. m커머스 시대의 대표적 결제 솔루션인 페이팔이 바로 그렇다. 페이팔은 모바일 웹과 스마트폰 앱에서 결제할 수 있도록 페이팔의 결제 솔루션을 갖추고, 스마트폰의 플랫폼 사업자인 애플, 구글과 결제 분야에서 경쟁하고 있다.

우리나라는 2004년부터 인증 전문 회사인 브이피의 인터넷 안전결제(ISP, Internet Secure Payment)를 사용하는 카드사와 비자에서 개발한 3-D Secure라는 표준을 적용한 안심클릭이라는 두 가지 e커머스 결제 솔루션이 사용되고 있었다.

2009년 우리나라에 스마트폰이 도입되기 시작한 이후다. 브이피는 모바일 안전결제라는 앱 방식의 결제 솔루션을 도입해 서비스를 제공 중이며, 안심클릭은 모바일 웹 버전을 개발해 서비스를 제공 중이다. 최근 안전결제를 사용하는 BC카드는 스피드 안전결제라는 모바일 웹 방식의 m커머스 결제 솔루션을 출시했다. 또한 신한카드, 삼성카드, 현대카드, 롯데카드 등 모바일 웹 방식의 안심클릭을 사용하던 카드사들은 '앱카드'라는 스마트폰 앱 방식의 m커머스 결제 솔루션을 출시했다.

## 결론

전자상거래와 인터넷 결제가 활성화된 2000년대 초반부터 다양한 솔루션이 시도됐으나 모범적인 성공사례는 없다. 피처폰의 모바일 비즈니스 환경이 지금과는 많이 달랐기 때문이다. 휴대전화 단말기는 점점 작아지기만 하는 경향이었다. 모바일 결제를 위한 칩이나 통신 모듈 또는 카드 리더 슬롯의 추가 등은 하드웨어 제조사 입장에서는 휴대전화 판매시장의 경쟁에서 도태시키겠다는 얘기나 다름없다.

열악한 데이터 통신 속도 또한 문제였다. 한마디로 느리고 비쌌다. 그 누구도 이러한 환경에서 m커머스를 이용하지 않을 것이었다. 마지막으로 플랫폼이 폐쇄적이고 통일화되지 않은 데에 문제가 있다. 이는 m커머스 및 모바일 결제 솔루션 회사들의 수익성을 악화시키고 고객의 비용을 증가시키며 우선 어떤 플랫폼에 개발해 적용해야 돈을 벌 수 있는지 판단할 수 없게 하고 있다.

2000년대 후반 스마트폰이 등장하면서 이러한 많은 문제점이 해결돼 m커머스가 가파른 속도로 확대되고 있고, 모바일 카드가 등장하고, NFC 애플리케이션들이 서비스되기 시작했다. 특히 우리나라는 미국이나 유럽보다 늦은 2009년에야 스마트폰이 도입되기 시작했으나 2013년 현재 전 세계에서 스마트폰 보급률과 NFC 폰 사용률이 가장 높다. m커머스 또한 가장 활성화돼 있어 다양한 모바일 결제 솔루션들의 각축장이 되고 있다.

하지만 최근 2~3년간의 경험을 바탕으로 볼 때 모바일 결제 솔루션이 성공하기 위해서는 몇 가지 문제점의 해결이 필요하다. 발급·등록의 편리성 확보, 통신 서비스와 결제 서비스의 운영 독립성 확보, 오프라인 결제의 편리성 확보, 오프라인 인프라 확대가 그것이다. 이러한 기술적 발전과 동시에 교통이나 m커머스 결제와 같이 고객이 친숙하게 이용할 수 있는 모바일 결제의 성공사례를 만들어 가는 것이 반드시 필요하다.

앞으로 2009년 아이폰과 같은 기폭제가 모바일 결제 및 관련 인프라 분야에서도 나타난다면 모바일 결제 시장은 매우 역동적으로 움직일 것이고 모든 시장 참여자의 적극적인 참여가 예상되면서 빠르게 성장할 것으로 보인다. 물론 어떤 상황, 어떤 사업자, 어떤 기술이 이러한 기폭제가 될는지에 대해서는 누구도 짐작하지 못하고 있는 현재 상황은 매우 긴장되고 기대되기도 한다고 감히 말하고 싶다.

제4장

# 모바일 결제 인프라 제언

# 01 모바일 결제 인프라 현황

## 가맹점 유형 및 모바일 결제 인프라 구축

모바일 결제 활성화를 위해서 가장 중요한 선결 과제는 모바일 결제방식 소유 회원들이 편리하게 사용할 수 있는 풍부한 가맹점 결제 인프라의 확충이다. 현재의 몇몇 특정 가맹점에서 사용할 수 있는 수준의 가맹점 개수는 시범 서비스 측면에서는 유용할 수 있다. 그러나 실제 플라스틱 카드에 의존하지 않고 회원들이 모바일 방식을 쓰기에는 턱없이 부족할 수밖에 없다.

따라서 완전하게 플라스틱 카드 수준의 가맹점 개수 확보는 필요하지 않다고 하더라도 개별 모바일 결제방식 사용만으로도 불편함이 없는 수준의 가맹점 개수 확보는 모바일 결제 활성화의 가장 중요한 선결 과제라고 할 수 있다.

모바일 결제 가맹점 확대와 관련해서는 적용 대상을 분류해 살펴볼 수 있다. 모바일 결제 적용은 고객 접점이 되는 가맹점 내의 시스템을 변경 적용해야 함에 따라 유형 기준은 가맹점의 시스템 개발 및 운영 주체에 따라 나누는 것이 좋다. 이에 따른 가맹점 유형으로는 크게 POS(Point of Sales, 금전등록기와 컴퓨터 단말기의 기능을 결합한 시스템으로 매상금액을 정산해줄 뿐만 아니라 동시에 소매경영에 필요한 각종 정보와 자료를 수집·처리해주는 판매시점 관리 시스템) 가맹점과 CAT(Credit Authorization Terminal, 신용카드에 표시된 발행회사, 회원번호 등을 자동 판독해 통신회선을 통해 카드 발행회사로부터 소지자에 대한 신용도를 문의하는 단말기) 가맹점으로 나눌 수 있다. POS 가맹점은 POS 시스템 개발 및 운영 주체의 성격에 따라 가맹점 또는 해당 가맹점 그룹 내부 계열사가 역할을 하는 경우, 전문 POS 시스템 운영 업체에 역할을 맡기는 경우, VAN사의 POS 시스템을 활용하는 경우로 나눌 수 있다.

모바일 결제 서비스 도입에 정부기관 및 금융정책 당국의 강력한 의지를 반영하기 어려운 상태로 시장 참여자의 니즈가 맞는 경우에만 원활한 도입이 이루어지고 있다. 이러한 도입 의사결정에 시 가맹점 시스템의 각각 운영 주체가 키를 쥐고 있으며 해당 주체의 성격에 따라 다음과 같이 의사결정이 진행된다고 볼 수 있다.

**가맹점 결제 단말기 운영 주체별 모바일 결제 인프라 도입 의사 결정 형태**

| 구분 | 운영 주체 | 모바일 결제방식 도입 의사결정 요소 |
|---|---|---|
| POS | 직접 또는 그룹 내부 계열사 | 대부분의 대형 가맹점 또는 프랜차이즈 가맹점으로 가맹점 매출과의 관계를 직접적으로 고려하여 모바일 카드 인프라 도입에 대한 의사결정을 직접적으로 결정함 |
| POS | 전문 POS 시스템 운영업체 | 중소형 프랜차이즈 또는 중소 가맹점들이 대부분으로 전문 POS 업체에 POS 운영을 전적으로 위임한 상태임. 따라서 모바일 카드 결제 도입도 전문 POS업체의 의사 결정이 중요하게 작용하며, 신규 위임 수수료 등의 수익 기여 여부에 따라 의사결정함 |
| | VAN사 | VAN사가 직접적으로 VAN 역할을 하는 가맹점에 대해서 의사결정을 하며, 주수익원인 VAN 수수료와의 관계에 따라 모바일카드 결제 도입에 대한 의사를 결정함 |
| CAT | VAN사 | |

모바일 결제 방식에는 제1장에서 정리한 것처럼 다양한 결제방식이 있다. 하지만 여기서는 NFC 기반의 결제방식과 바코드 기반의 결제방식에 대해서 살펴보고자 한다.

NFC 기반의 결제방식에 기본적으로 꼭 필요한 HW 요소가 있다. 흔히 동글이라는 서명 패드를 말한다. 최초의 동글은 전자서명의 입력수단으로 도입됐다. 최근에도 그것을 주 기능으로 하고 있지만 최근 동글은 전자 서명 입력 기능 외에도 모바일 카드 결제를 위한 NFC 기능을 기본적으로 탑재하고 있다.

또 터치 스크린을 통해 가맹점 홍보나 프로모션 홍보를 위한 동영상 재생이 가능하고 스피커 장착을 통해 고객에게 필요한 음성 안내를 할 수도 있다. 플라스틱 카드 보안 이슈로 금융감독원에서 추진하고 있는 IC카드 결제 확대를 위해 IC카드 결제 모듈이 탑재된 고가 모델도 가맹점에 많이 배포되고 있다.

이러한 동글에서 모바일 카드 결제가 이루어지기 위해서는 기본

〈모바일 결제 동글〉

적으로 각각의 모바일 카드 규격에 대한 소프트웨어 프로그램이 탑재돼야 한다. 해당 동글 기능을 활성화시키고 동글에서 처리한 결과를 POS 또는 CAT으로 전달한 내용을 처리하기 위해서 POS 또는 CAT 단말기의 소프트웨어 프로그램이 개발돼야 한다.

바코드 기반 결제에는 흔히 볼 수 있는 바코드 리더가 가맹점에 갖춰져 있어야 한다. 이 역시 모바일 결제에 응용되기 위해서는 모바일 결제 용도로 활성화되어야 한다. 또 바코드 리더에서 POS 또는 CAT으로 전달한 내용을 처리하기 위해 POS 또는 CAT 단말기의 소프트웨어 프로그램 개발이 필요하다.

이상에서 살펴보았듯이 모바일 결제 인프라 구축을 위해서는 동글 또는 바코드 리더라는 기본적인 하드웨어 장비가 필요하고, 그에 못지않게 중요한 것이 POS 또는 CAT에 대한 개발이다. 기본적인 하드웨어 장비는 모바일 결제 인프라 구축에 드는 비용으로 인식될 수 있다. 기술 발전에 따른 해당 기기의 가격 인하 요인과 전자서명 및 바코드 멤버십 확대 등의 기능적 요구사항에 따라 점진적으로 하드웨어 비용문제는 해결될 수 있을 것으로 예상한다.

그다음으로 중요한 POS 또는 CAT 개발과 관련해서 가맹점 캐셔 및 이용자 경험과 직접적인 연관 관계가 있는 것으로 모바일 결제 활성화에 아주 중요하다고 하겠다. 최근 특히 가맹점 POS는 다양한 결제수단 수용뿐만 아닌 현장 할인 등 다양한 프로모션 내용이 적용돼 있다. 또한 대다수의 대형 가맹점은 각각의 멤버십·포인트·쿠폰 등의 로열티 기능이 적용돼 있고 심지어는 전자 영수증 등 새로운 기능도 탑재된 경우가 종종 있다.

이런 측면에서 가맹점 캐셔 입장에서 수많은 기능을 숙지하지 못할 가능성이 크고 이것은 원활한 모바일 결제 경험으로 매끄럽게 연결되지 못해 자칫 모바일 결제가 활성화되기도 전에 회원들로부터 외면당할 가능성이 크다. 따라서 모바일 결제 인프라 구축을 위해서 기본적으로는 관련 기기에 대한 효과적인 비용 투자문제에 대한 고려가 필요하겠지만 POS 또는 CAT 단말기의 이용자 경험을 중시하는 프로그램 적용에 대한 고민도 매우 중요하다.

## 결제 인프라 구축 활성화 이슈 및 방안

모바일 결제가 활성화되기 위해서는 앞서도 언급했지만 기본적으로 결제 인프라가 확충돼야 한다. 이 글에서는 결제 인프라 구축 활성화와 관련하여 기술적인 얘기보다는 관련 시장 참여 관계자 간의 이해관계에 대해서 살펴보려고 한다.

모바일 결제 시장 참여 관계자로는 기존 결제시장 참여 관계자

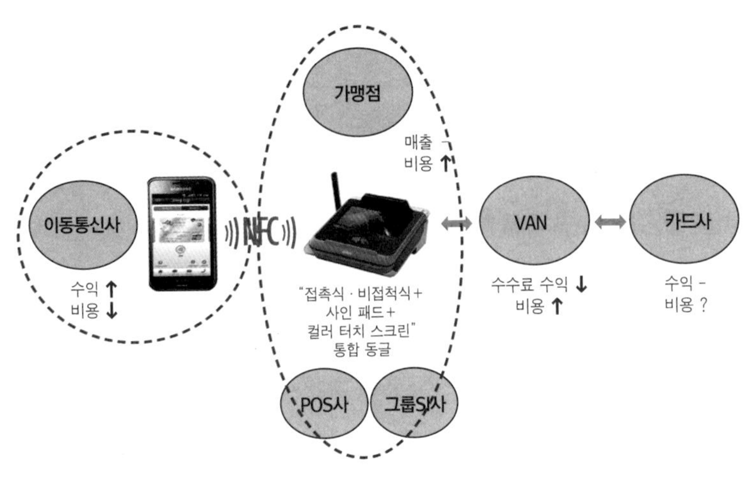


〈이해관계자별 모바일 결제 도입에 따른 영향도 예시〉

인 카드사, 가맹점, VAN사 이외에 모바일 기기 도입에 따른 이동통신사가 추가로 포함된다고 볼 수 있다. 물론 모바일 결제에는 그 외에도 신규 결제 솔루션 또는 신규 콘텐츠에 따른 구글, 애플 등 플랫폼 사업자 등 다양한 관계자가 출현하고 있다. 하지만 기본적으로 카드사, 가맹점, VAN사, 이동통신사의 관계가 중요한 틀을 형성하고 있다고 할 수 있다.

우선, 모바일 결제 활성화와 관련해서는 앞의 글에서 살펴본 것처럼 관련 기기의 비용문제와 이용자 편의를 위한 POS 또는 CAT 단말기의 프로그램 문제가 중요하다고 언급했으며, 여기서 다루고자 하는 얘기는 시장 참여자 간의 이해관계이므로 모바일 결제 관련 기기에 대한 투자문제이다.

시간이 지나면서 가맹점에 점진적으로 확대되긴 하겠지만 모바일 결제에 필수적인 동글 및 바코드 리더와 관련해 별다른 촉매제가 없는 한, 확대되는 속도는 매우 더딜 것으로 예상한다. 이유는 기존 플라스틱 카드 기반의 결제 프로세스가 잘 정립돼 있고, 모바일 결제 도입에 따른 추가 수익 확보가 담보되지 않기 때문이다. 다만, 이동통신사는 신규 수익원이 확보될 것으로 예상된다. 각각의 시장 참여자 관점에서의 의견을 정리해보면 다음과 같다.

카드사 관점에서 보면 모바일 결제는 카드 회원들에게 새롭고 편리한 결제수단을 제공하기 위해서 간과할 수 없는 서비스 아이템임이 명확하게 인식되고 있다. 앞으로 모바일 기기 기반으로 결제매체 이동과 커머스가 활성화될 것으로 예상되는바, 모바일 결제는 미래의 카드 회원 확보를 위해서 뒤처질 수 없는 서비스 아이템이다. 다만 현재까지는 기존 수익 모델과 별다른 점을 발견하지 못했기 때문에 주도적인 투자 의사결정이 어려운 상황이다. 카드사 간 어떻게 보면 눈치를 보면서 서비스 진행에서 발을 맞추고 있는 형상으로 보이기도 한다.

가맹점 관점에서 보면 카드사와 비슷한 입장으로 대변될 수 있다. 아직은 모바일 결제 도입이 가맹점 매출 증대로 이어지기 어렵다는 판단을 하고 있다. 카드사 등 제휴 투자로 시범적으로 적용해볼 수는 있지만 주도적으로 모바일 결제를 도입하는 의사결정은 매우 어려운 상황이다.

VAN사는 모바일 결제 인프라 구축에 있는 투자 주체로 나서는 것이 더욱 어려운 상황이라고 할 수 있다. 카드사와 가맹점 사이의 카드 승인 중계를 담당하고 있는 밴사는 과거에는 가맹점 결제 시스템 투자에도 적극적인 경우가 많았다. 하지만 근래 들어 대형 가맹점의 자체 POS 시스템 구축 및 POS 전문 업체의 가맹점 시스템 장악 등의 영향으로 가맹점 시스템 구축에 주도적인 역할을 하기 어려운 구조로 내몰리게 됐다. 또한 최근 가맹점 수수료 체계 재정비의 하나로 VAN 수수료 인하 압박에 시달리게 되면서 더더욱 모바일 결제 인프라 구축에 참여할 수 있는 여지가 줄어들었다고 볼 수 있다.

이동통신사 관점에서 보면 모바일 결제 적용에 따른 몇 가지 재미있는 점을 발견할 수 있다. 우선, 시장 참여자 가운데에서 유일하게 신규 수익원 확보가 가능하다는 점이다. 현재 카드사와의 모바일 카드 제휴 또는 유심 기반의 모바일 카드와 관련해 발급 건당 또는 이용액 기반으로 수수료 정산을 통한 수익을 확보하고 있다. 물론 기존 이동통신 수익에 비하면 매우 미미한 수준이기는 하나 앞으로 모바일 결제 활성화에 따른 최대 수혜자는 이동통신사가 될 가능성이 크다. 하지만 이동통신사는 상황에 따라 모바일 결제에서 그 역할을 유지하기 어려울 수 있다.

지급 결제에서 유심을 제외하고 다른 채널을 활용할 때 기존 시장 참여자 간에 모바일 결제 서비스를 제공할 수 있는 구조로 돼 있기 때문에 앞으로 이동통신사는 배제될 가능성도 있다. 따라서 모바일 결제 활성화를 위한 인프라 구축은 신규 수익원 확보가 가능한 이동통신사 주도로 인프라 구축에 추진될 수도 있지만 지속적인 수익원 확보 불확실성 때문에 그 가능성이 불투명하다고 할 수 있다.

이상에서 살펴본 바와 같이 모바일 결제 활성화를 위한 인프라 구축 확대에 키플레이어를 쉽게 찾아보기 어려운 상황이다. 하지만 재밌게 지켜볼 것이 하나 있다면 이전에 국내 스마트폰 보급 확대와 관련한 역동적인 스토리 전개과정과의 비교 부분이다. 국내에 일반인 대상으로 스마트폰 개념이 도입된 시점은 MS윈도 CE 기반으로 삼성전자에서 스마트폰을 만들기 시작한 2007년부터라고 얘기할 수 있다.

초기 스마트폰은 PC의 운영체계를 휴대전화로 그대로 옮겨온 구조로 뛰어난 몇몇 전문가들조차 다루기 어려웠던 것이 사실이다. 국외에서는 사용자 관점에서 매우 편리하고 간편한 직관적 운영구조를 갖춘 아이폰 보급이 활발하게 일어나던 상황과 정반대라고 할 수 있다. 하지만 국내 이동통신사는 기존 피처폰 기반의 사업이 큰 무리 없이 지속적인 수익을 보장해주고 있는 만큼 굳이 아이폰 도입 또는 스마트폰 개선에 대해 적극적인 움직임을 보이지 않고 있었다. 하지만 2009년 하반기 KT가 아이폰을 도입하면서 스마트폰 시장은 급격히 확대되기 시작했고 2013년 현재 전체 가입자의 70퍼센트 수준인 3,500만 대를 돌파하고 있다.

이와 마찬가지로 모바일 결제도 어떤 특정 기폭제에 의해 급격히 활성화될 가능성이 높아 보인다. 현재는 대부분의 시장 참여자가 필요성과 앞으로 성공 가능성에 대해서는 공감대를 형성하고 있지만, 현재의 수익 모델 유지 가능함과 투자비용에 대한 우려로 서로 눈치만 보고 있는 상황은 2007년 이후 스마트폰에 대해 서로 사업자 간 눈치만 보던 시기와 일맥상통하는 것으로 보인다.

앞으로 2009년 아이폰과 같은 기폭제가 모바일 결제 및 관련 인프라 분야에서도 나타난다면 모바일 결제 시장은 매우 역동적으로 움직일 것이고 모든 시장 참여자의 적극적인 참여가 예상되면서 빠르게 성장할 것으로 보인다. 물론 어떤 상황, 어떤 사업자, 어떤 기술이 이러한 기폭제가 될는지에 대해서는 누구도 짐작하지 못하고 있는 현재 상황은 매우 긴장되고 기대되기도 한다고 감히 말하고 싶다.

# 02 표준화 및 인증센터

## 모바일 결제 표준

### ● ● ● 표준화의 의미

표준화Standardization란 일상적이고 반복적으로 일어나거나 일어날 수 있는 문제를 주어진 여건 아래서 최선의 상태로 해결하기 위한 일련의 활동으로 정의한다(ISO/IEC 가이드 2).

이러한 일련의 활동에 필요한 합리적 기준이 바로 표준이다. 표준은 시장 관계자의 합의에 따라 작성되고 공인 또는 인정된 기관에 의해 승인되며 공통적이고 반복적인 사용을 위해 특성·기능 기술, 규정, 가이드 등의 문서로 정의되고 있다. 표준은 원칙적으로 불특정 다수 공동체 이익의 최적화 촉진을 목적으로 하나 표준 협의 참여자의 이해관계에 따라서 합의된 내용으로 인해 이익 최적화 촉진만을 목적으로 할 수도 있다.

모바일 결제 표준과 관련해서는 모바일 카드 결제 표준에 관해서만 표준작업이 체계적이고 활발하게 운영되고 있으며 모바일 카드 결제 규격의 모태가 되는 기준규격은 국제표준화 기구인 ISO International Organization for Standardization에서 제정된 규격으로 1987년 카드에 IC칩을 내장한 형태의 접촉식 카드와 그 카드를 이용하기 위한 단말기 표준화 규격인 ISO/IEC 7816을 제정했다.

그후 비접촉식 IC카드에 대한 표준의 요구에 따라 ISO·IEC 14443 규격으로 비접촉식 IC카드와 단말기 표준화 규격이 제정됐다. 위의 두 표준을 기본으로 다른 표준화 기관이나 워킹그룹 Working Group에서 다양한 애플리케이션에 대한 표준과 규격 작업을 추진해 오고 있다. ISO에 정의된 스마트카드의 표준을 살펴보면 다음과 같다.

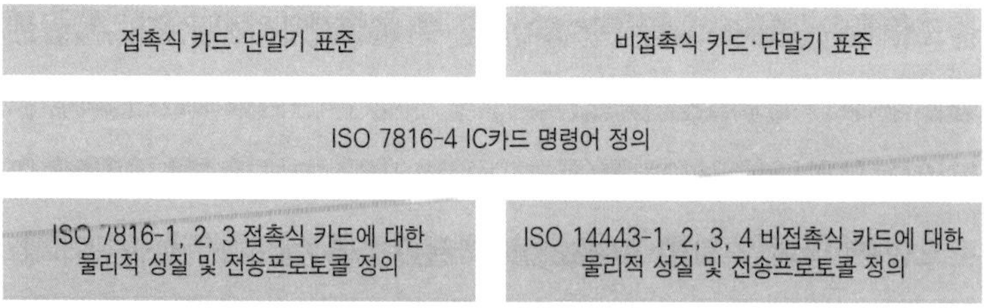

| 접촉식 카드·단말기 표준 | 비접촉식 카드·단말기 표준 |
| --- | --- |
| ISO 7816-4 IC카드 명령어 정의 | |
| ISO 7816-1, 2, 3 접촉식 카드에 대한 물리적 성질 및 전송프로토콜 정의 | ISO 14443-1, 2, 3, 4 비접촉식 카드에 대한 물리적 성질 및 전송프로토콜 정의 |

〈IC카드에 대한 ISO 표준의 구조〉

### 모바일 카드 결제 표준

현재 국내에서 사용되는 모바일 카드 결제 표준은 크게 글로벌 지급 산업 표준으로 일컬어지는 EMV 규격과 최근 기술표준원 중심으로 제정된 국내 표준 모바일 카드 결제 규격으로 나누어진다.

우선, 전 세계적으로 통용되고 있는 EMV는 비자, 마스터카드, 유로페이Europay 세계 3대 카드사가 신용과 직불카드를 IC카드에 탑재하기 위해 공동작업에 착수해 1995년에 발표한 표준으로 금융업무를 위한 대표적인 표준규격이다. EMV 표준에서는 ISO7816을 기본으로 해 신용·직불카드 서비스를 단말기에서 사용하는 데 있어 필요한 표준을 기술하고 있다.

엄밀하게 말하면 EMV는 ISO와 같은 공식적인 표준화 기관에서 제정된 것이 아니고 업체들이 ISO 표준을 참고해 금융 애플리케이션을 사용하기 위한 규격을 정한 것이기 때문에 EMV는 '표준'이라기보다는 업체규격이라 할 수 있다. 그러나 이 문서에서는 '표준'과 '업계규격'을 구분하지 않고 모두 '표준'으로 지칭한다.

초기의 EMV에서는 단말기 표준만 정의하고 IC카드용 표준은 따로 제정하지 않았다. 기본적으로 EMV에서는 단말기와 카드의 표준화된 최소한의 거래절차만 제정하고 단말기의 발급사와의 통신부분과 카드의 실제 구현 및 카드 전용 데이터는 EMV에 참여하는 각 카드사가 독자적으로 정의하도록 하고 있다. 현재 EMV에서는 CCDCommon Core Definition와 CPACommon Payment Application으로 IC카드 표준도 제정하고 있으나, 여전히 각 카드 브랜드별 자체표준(MCHIP, VSDC, J/Smart 등)이 널리 사용되고 있다.

현시점에서 EMV는 ISO 7816 기반의 접촉식 거래에 대해서만 하드웨어와 소프트웨어 표준이 제정돼 있으며, ISO 14443 기반의 비접촉식 거래는 하드웨어 관련 규격만 존재한다. 비접촉식 거래 및 모바일 결제에 대해서는 현재 EMV 내 워킹그룹에서 표준을 제정하고 있으며 현재 엔트리 포인트Entry point 등 일부의 표준이 제정된 상태이다.

EMV 표준의 구성은 이하의 그림과 같다.

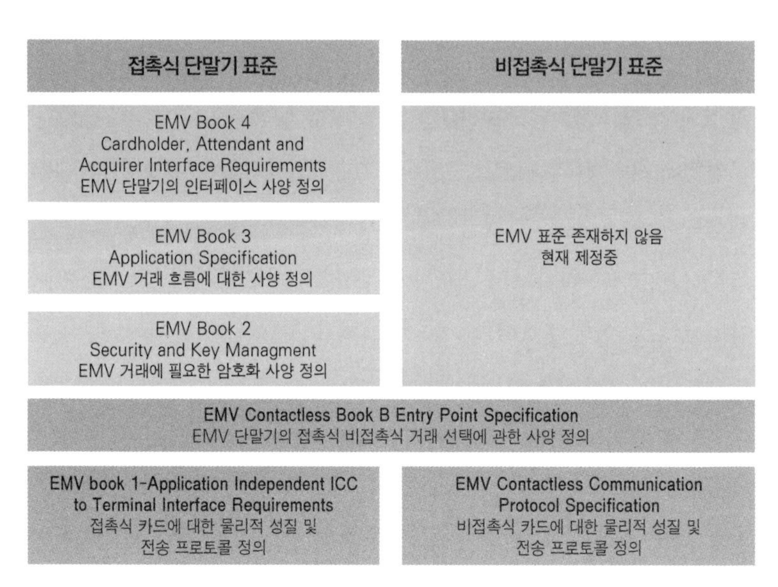


〈EMV 표준의 구조〉

VSDC, MCHIP, J/Speed와 같은 IC카드 표준은 EMV 호환의 단말기에서 동작을 고려해 만들어졌으며, 카드 브랜드별로 제정해 사용하고 있다. 각 표준에서 카드 리스크 관리 및 부가 서비스를 위한 각 카드 내부 처리 로직은 카드 브랜드별로 다르나 실제 IC카드 단말기와의 거래 부분은 EMV 호환을 위해 EMV 표준을 따르도록 구성돼 있다.

각 카드 표준에서도 레벨 1인 하드웨어 및 통신 프로토콜에 대한 정의와 레벨 2인 애플리케이션의 표준이 각각 존재했다. 그러나 현재는 레벨 1 부분은 EMV CCD 표준으로 통합·대체됐으며, 레벨 2인 애플리케이션 부분만 브랜드별 표준으로 존재한다. 일부 카드 브랜드는 IC카드 외에도 IC카드용 단말기에 대한 표준도 제정되어 존재하나 단말기에 EMV 표준이 성공적으로 사용되기 때문에 특별한 경우 외에는 사용되지 않는다.

| 접촉식 거래(EMV) | | | | 비접촉식 거래(Non EMV) | | | |
|---|---|---|---|---|---|---|---|
| VSDC 접촉식 EMV 거래를 지원하는 비자카드 카드 규격 | M/Chip 접촉식 EMV 거래를 지원하는 마스터카드 카드 규격 | J/Smart 접촉식 EMV 거래를 지원하는 JCB 카드 규격 | AEIPS 접촉식 EMV 거래를 지원하는 아메리칸 익스프레스 카드 규격 | PayWave qVSDC, MSD 비접촉식 거래를 지원하는 비자 전용 카드·단말기 규격 | PayPass M/Chip, MSD 비접촉식 거래를 지원하는 마스터카드 전용 카드·단말기 규격 | J/Speedy 비접촉식 거래를 지원하는 JCB 전용 카드·단말기 규격 | Express-pay 비접촉식 거래를 지원하는 아메리칸 익스프레스 전용 카드·단말기 규격 |
| EMV Book 2, 3, 4 EMV 단말기 규격 | | | | | | | |
| EMV Contactless Book B Entry Point Specification EMV 단말기의 접촉식 비접촉식 거래 선택에 관한 사양 정의 | | | | | | | |
| EMV book 1-Application Independent ICC to Terminal Interface Requirements 접촉식 카드에 대한 물리적 성질 및 전송 프로토콜 정의 | | | | EMV Contactless Communication Protocol Specification 비접촉식 카드에 대한 물리적 성질 및 전송 프로토콜 정의 | | | |

〈EMV에 참여한 카드 브랜드별 표준구성〉

접촉식 IC카드 거래는 위에서 명기한 비자의 VSDC, 마스터카드의 M/칩, JCB의 J/스마트, 아메리칸 익스프레스의 AEIPS는 각 표준 전용 단말기뿐만 아니라 EMV 인증을 받은 단말기에서도 거래를 진행할 수 있다(단, AEIPS는 2009년에 EMV에 참여했으며 2010년에 EMV 단말기 표준에 AID가 등록됐기 때문에 2009년 이전에 EMV 인증을 받은 IC카드 단말기에서는 사용할 수 없다).

비접촉식 IC카드 거래는 위에서 설명한 접촉식 거래와 달리 EMV 단말표준은 존재하지 않고 각각의 전용 단말표준만 제정되어 있다. 따라서 비접촉식 IC카드 거래는 위의 표에 나온 것처럼 각각의 전용 IC카드 표준을 이용해서 만들어진 단말기로 거래해야 한다.

EMV 단말기에는 EMV에 참여한 카드 브랜드의 RID만 들어 있다. 때문에 EMV에 참여하지 않은 카드 브랜드의 IC카드는 EMV 표준을 지원·이용하도록 만들어진 경우에도 EMV 단말기에서 사용할 수 없다.

대부분의 EMV 비지원의 카드 브랜드는 하드웨어와 관련된 레벨 1 부분은 따로 제정하지 않거나 제정되어 있다고 해도 EMV 레벨 1 표준과 인증체계를 그대로 이용하게 하고 있다. 하지만 중국의 유니온페이와 같은 일부 카드 브랜드는 하드웨어와 관련된 레벨 1 부분도 자체 표준을 제정해 사용하고 있다. EMV에 참여하지 않는 경우 거래에 EMV 단말기를 사용할 수 없어서 거래 부분인 레벨 2 부분은 따로 정의하는 형식을 취하고 있다. 디스커버 카드 표준과 유니온페이 표준은 다음과 같다.

표에는 존재하지 않으나 디스커버 역시 자체 레벨 1 표준이 존재한다. 하지만 디스커버는 자체 레벨 1 표준만 강제하지 않고 EMV 레벨 1 표준도 받아들이고 있다. 그에 반해서 유니온페이의

| Discover 표준 | | Unionpay 표준 | |
|---|---|---|---|
| **D-PAS**<br>접촉식 거래를 지원하는 디스커버 전용 카드·단말기 규격 | **ZIP**<br>비접촉식 거래를 지원하는 디스커버 전용 카드·단말기 규격 | **PBOC Level 2 Contact**<br>접촉식 거래를 지원하는 유니온페이 전용 카드·단말기 규격 | **PBOC Level 2 Contactless**<br>비접촉식 거래를 지원하는 유니온페이 전용 카드·단말기 규격 |
| EMV book-1 Application Independent ICC to Terminal interface Requirements<br>접촉식 카드에 대한 물리적 성질 및 전송프로토콜 정의 | EMV Contactless Communication Protocol Specification<br>비접촉식 카드에 대한 물리적 성질 및 전송프로토콜 정의 | **PBOC Level 2 Contact**<br>Unionpay에서 제정한 접촉식 카드·단말기에 대한 물리적 성질 및 전송프로토콜 정의 | **PBOC Level 1 Contactless**<br>Unionpay에서 제정한 비접촉식 카드·단말기에 대한 물리적 성질 및 전송프로토콜 정의 |

그림 7 EMV에 참여하지 않은 카드 브랜드별 표준구성

경우 EMV 규격이 아닌 POBC 규격만 강제하고 EMV 표준과 함께 지원하도록 요구하고 있다.

국내 규격 모바일 카드의 경우 기술표준원에서 제정 및 관리하는 KS**Korean Industrial Standards**규격으로 지난 2012년 3월 28일에 제정됐고 현재 국외 규격 사용에 따른 로열티를 절감하기 위해 국내 전용 모바일 카드 발급에 사용하고 있다.

〈모바일 신용카드 지급 결제표준 규격 3개 분야 설명도〉(자료: 기술표준원)

제정된 모바일 지급 결제 KS는 스마트폰에 내장해 사용할 수 있는 일반 모바일 신용카드 표준규격(KSX6928-1)을 비롯해 오프라인 매장에서 결제할 때 사용하는 대면 거래 결제규격(KSX6928-2), 스마트폰으로 쇼핑몰 등에서 구매 후 대금을 결제할 수 있는 비대면 거래 결제규격(KSX6928-3) 등 3개 분야이다.

모바일 신용카드 일반 표준규격은 스마트폰으로 신용카드를 신청·발급·관리하는 방식에 관한 것이다. 개인 신용카드를 스마트폰 사용자 인식 모듈(유심USIM)이나 마이크로 SD카드 등 저장매체에 상관없이 서로 호환해 사용할 수 있도록 하는 규격을 말한다.

대면 거래 표준규격은 모바일 신용카드를 내장한 스마트폰을 결제 단말기(RF리더기)에 가까이 갖다대기만 하면 자동으로 결제되는 서비스를 위한 것으로, 13.56메가헤르츠 대역의 근거리 무선통신(NFC) 방식은 물론 교통카드로 널리 쓰이는 ISO/IEC 14443A 타입과 B 타입 통신방식 등 여러 통신방식 간 호환되도록 하는 규격을 포함하고 있다. 또 근거리 통신 시 데이터 프로토콜을 비롯해 데이터 세트 명령어, 데이터 전송 암호화 규격도 규정한다. 비대면 거래 표준규격은 내장된 모바일 신용카드를 선택하고 본인인증(비밀번호 입력방식 등)을 통해 결제하는 것에 관한 호환 규격을 말한다.

## 인증센터

### ●●● 인증센터의 의미

모바일 카드 인증업무의 에코 시스템은 아래의 다음과 같다.

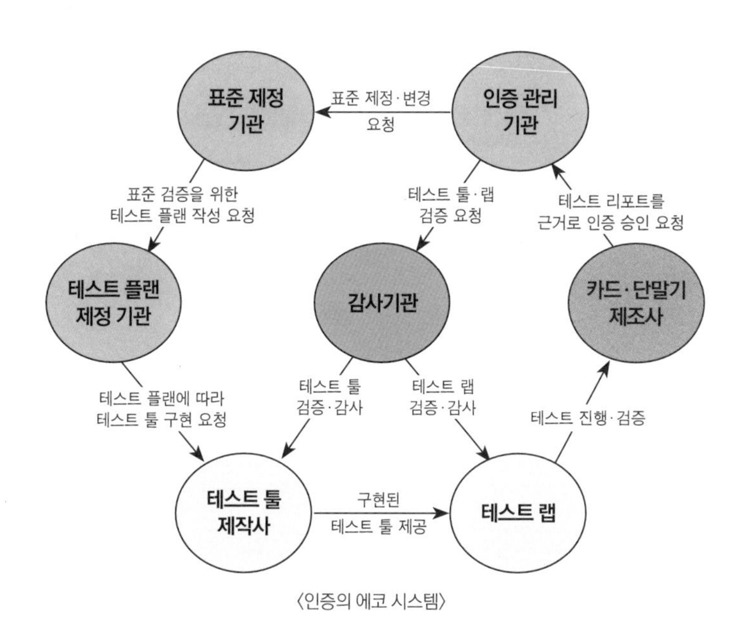


〈인증의 에코 시스템〉

표준제정기관은 요구사항을 만족하는 기술표준Technical specification 의 제작과 기술표준의 변경 및 업데이트 등의 관리업무를 맡는다.

테스트 플랜 제정기관은 제품과 서비스가 기술표준에 적합하게 만들어졌는지를 테스트할 수 있도록 각각의 기술표준에 근거해 테스트 케이스들을 작성하며 검증을 위한 하드웨어 툴의 요구사항을 제정한다.

테스트 툴 제작사는 검증을 위한 하드웨어를 설계 제작하며(기술적 사양을 만족하는 범용 하드웨어를 사용하는 때도 있음), 테스트 플랜에서 기술한 각각의 테스트 케이스를 실제 사용할 수 있는 프로그램, 스크립트로 구현한다. 테스트 랩은 정기적으로 교정Calibration을 통해 테스트 장비의 무결성을 확인하고, 인증을 요구하는 제품 및 서비스를 테스트 검증하며, 결과 리포트를 작성한다.

감사기관은 정기적으로 테스트 랩과 테스트 툴 제작사의 업무절차와 테스트 툴의 관리에 대한 감사업무를 수행한다. 인증관리기관은 테스트 랩에서 발행한 테스트 리포트에 근거해 제품의 인증서를 발행하며, 인증된 제품의 목록, 공인 테스트 랩, 테스트 툴 제작사, 감사관의 관리업무를 수행한다.

여기서 다룰 인증 대상 업무로는 비자/마스터카드의 모바일 카드 규격과 국내 규격인 KS규격에 대한 기능인증 부분과 모바일 결제 거래에 관련한 보안인증을 담당하는 PCI 인증에 대해서 살펴보고자 한다.

### ● ● ● 인증센터 운영 현황

인증 랩은 크게 IC카드의 기능 부분을 테스트하는 기능 랩Functional Lab과 보안 부분을 검사하는 리스크 랩Risk Lab으로 나누어진다. EMV와 각 카드 브랜드의 테스트 랩의 업무 구성은 다음의 표와 같다.

**각 인증업무별 인증 랩 구분**

| 랩 구분 | 인증명 | 인증 내용 |
|---|---|---|
| 기능 테스트 랩 | EMV 접촉식 레벨 1 | 접촉식 EMV 단말기 하드웨어 인증 |
| | EMV 비접촉식 레벨 1 | 비접촉식 EMV 단말기·카드 하드웨어 인증 |
| | CCD | 접촉식 EMV 카드 하드웨어 인증 |
| | EMV Level 2 | 접촉식 EMV 단말기 소프트웨어 인증 |
| | VSDC | EMV 호환 비자카드 소프트웨어 인증 |
| | VGP | 비자 글로벌 플랫폼 소프트웨어 인증 |
| | PayWave | 비접촉식 비자카드 소프트웨어 인증 |
| | MChip | EMV 호환 마스터카드 소프트웨어 인증 |
| | PayPass | 비접촉식 마스터카드 소프트웨어 인증 |
| | JCB L1 | 접촉식 JCB 카드 하드웨어 인증 |
| | JSPEEDY | EMV 호환 JCB 신용카드 인증 |
| 보안 테스트 랩 | Black Box testing | 카드 보안성 인증 |
| | White Box testing | 카드 보안성 인증 |
| | PCI/PED | 단말기 PIN 입력장치의 보안성 인증 |

EMV 인증(EMV Type Approval)은 크게 단말기 인증과 IC카드 인증으로 나뉜다. 각각의 인증은 다시 EMV 레벨 1 인증과 EMV 레벨 2 인증으로 나누어진다. 레벨 1 인증은 EMV Book 1에 정의돼 있는 하드웨어 관련 물리적 인터페이스, 전기적 인터페이스, 프로토콜 신뢰성과 규격검증을 목적으로 하며 레벨 2 인증은 EMV 소

프트웨어에 대한 규격검증을 목적으로 한다. 이러한 인증관리업무를 수행하기 위해서 EMV 규격을 만든 유로페이, 마스터카드, 비자 신용카드 3사가 같은 지분으로 EMVCo를 설립했다.

EMVCo는 EMV 표준의 보급, 갱신 등의 제반 관리업무를 담당하고 있고, 산하에 Card and Terminal, Security, Type Approval, Interoperability, Common Core Requirements, Security Evaluation, Card Approval 등의 7개의 워킹그룹을 운영하며, 업체에서 생산된 EMV 제품이 표준에서 정한 규격을 준수하고 있는지를 검증하기 위한 인증절차를 제정한다.

EMV에서 2010년 현재 제정돼서 제공하는 인증 부분은 다음과 같다.

EMV 인증

| | |
|---|---|
| EMV 단말기 인증 | EMV 레벨 1 접촉식 단말기 인증 |
| | EMV 레벨 1 비접촉식 단말기 인증 |
| | EMV 레벨 2 접촉식 단말기 인증 |
| EMV IC카드 인증 | EMV 레벨 1 접촉식 IC카드 일렉트로닉 인증 |
| | EMV 레벨 1 접촉식 IC카드 프로토콜 인증 |
| | EMV 레벨 2 접촉식 IC카드 인증(CCD) |
| | EMV 레벨 2 접촉식 IC카드 인증(CPA) |

PCIPayment Card Industry는 전자지급산업협회로 아메리칸 익스프레스, JCB, 마스터카드, 비자카드가 주축으로 구성된 전자지급 관련

업체들의 모임이다. 이 단체의 전자지불카드 산업보안표준운영회에서는 금융 데이터 보안을 위한 표준과 인증업무를 수행한다.

PCI 보안표준은 전자지급과 관련된 데이터를 안전하게 처리, 운영, 저장하기 위한 관련 장비 개발, 안전한 저장 등을 제공하기 위한 보안성 요건에 관해서 규정돼 있다. 이중 PED 인증은 개인 비밀번호PIN입력장치인 PEDPin Entry Device에 대한 PIN 입력 데이터에 대한 보안 요구사항에 대한 인증이다. 공식 PCI/PED 인증으로 등록된 테스트 랩은 다음과 같다.

**PCI/PED 테스트 랩 현황**

| PCI/PED 테스트 랩 | 위치 |
|---|---|
| Brightsight B.V. | 네덜란드 |
| DOMUS IT Security | 캐나다 |
| EWA-Canada | 캐나다 |
| InfoGard Laboratories | 미국 |
| RFI Global Services Ltd. | 영국 |
| SRC Security Research & Consulting Gmbh | 독일 |
| T-Systems GEI GmbH | 독일 |
| Witham Laboratories | 오스트레일리아 |

국제공통평가기준은 IT 제품의 보안성에 대한 세계 공통표준으로서 기존에 선진 각국에서 서로 다른 보안평가를 시행함으로써 초래되는 시간과 비용의 문제점을 해결하기 위해 개발됐다. 1998년에 이에 대한 국제공통평가기준 상호인정협정CCRA, Common Criteria

Recognition Arrangement이 미국, 캐나다, 영국, 프랑스, 독일 간에 체결됐다.

국제공통평가기준 상호인증협정의 회원국은 자국에서 직접 인증서를 발행할 수 있는 인증서 발행국CPA과 타국의 인증서를 인정만 할 수 있는 인증서 수용국CCP으로 나뉜다. 한국은 2006년 5월에 인증서 발행국 자격으로 가입해 한국정보진흥원KISA, 한국산업기술시험원KTL, 한국 시스템 보증KOSYAS, 한국IT평가원KSEL, 한국정보통신기술협회TTA에서 각각 인증과 평가를 맡고 있다.

# 참고문헌

### 제1장

금융감독원, 전자금융감독규정, 2010

루멘소프트, 정보통신기기 대상 기기인증 서비스 적용방안, 한국인터넷진흥원, 2011. 9

법제처, 전자거래기본법, 2011

법제처, 전자서명법, 2011

금융위원회, 전자서명을 통한 보험계약 체결 시 전자문서 작성 및 관리 기준, 2011

법제처, 여신전문금융업법, 2012

법제처, 여신전문금융업법 시행령, 2012

법제처, 전자금융거래법, 2012

### 제2장

Discover® Network RF Contactless Specification - Supplement Guide For Functional Portion

Visa Contactless Payment Specification

PayPass - Mag Stripe Technical Specifications

China financial integrated circuit card specifications

GlobalPlatform - Card Specification

KS6928 모바일 지급결제 - 모바일신용카드

## 주

1 ISO 7816
2 CPU, EEPROM, RAM 및 Crypto Math Coprocessor
3 RF 안테나를 통하여 무단으로 타인의 금융정보를 빼내는 것이 가능한 모바일 카드는 논외로 함
4 일부 신용카드사가 일괄 원격잠금 서비스를 시행하고 있음
5 플라스틱 카드와 모바일 카드
6 Near Field Communication
7 신용카드, 체크카드, 선불카드 등
8 휴대전화 인증비용
9 Web 방식의 간편결제는 향후에 HTTP 프로토콜을 지원하는 App방식으로 변화할 가능성 있음
10 One Time Password, 일회성 암호
11 Independence on device functionality
12 2013년 상반기, 국내 스마트폰 시장에서 애플 아이폰의 점유비는 20퍼센트 이하로 하락
13 모바일 직불카드, 체크카드 또는 모바일 현금카드
14 신용카드 시장 구조개선 종합대책
15 다날, KG모빌리언스
16 가맹점 접점의 이해관계자가 수익이 낮은 영역에 자율적이고 적극적인 활동을 기대하기 어려움
17 Hardware Security Module
18 Secure Digital Secure Element
19 2012. 10.14. 한국은행 금융정보화추진협의회 의결 "금융마이크로SD 표준"
20 Single Wired Protocol
21 삼성전자, 팬텍, LG전자
22 Value Added Network, 가맹점의 거래요청을 금융회사의 승인시스템으로 연동하는 역할을 수행
23 QR코드를 카메라로 읽는 광학기술, 휴대전화 화면에 생성된 바코드를 결제단말기의 바코드 인식기로 입력하는 기술, 휴대전화에 장착된 근거리 RF 신호 전송기술 등
24 이 때에는 VAN사가 보조적인 역할에 그치고 신규 모바일결제 솔루션을 제공하는 사업자와 가맹점의 합의가 중요함
25 가맹점-PG-VAN-신용카드사
26 휴대전화 및 태블릿 PC
27 Near Field Communication의 약자로 지불결제에서 근거리 무선통신이 가능하게 하는 기술
28 신용카드 또는 은행계좌 등
29 ISO 7816 규격
30 RF Theft, 결제자가 인지하지 않고 동의하지도 않은 상황에서 금융정보를 절취

M-Payment 모바일 결제의 모든 것

**초판 1쇄 발행** 2014년 1월 8일
**초판 2쇄 발행** 2014년 1월 24일

**지은이** 장석호 이지호 성기윤 오재민
**펴낸이** 안현주

**경영총괄** 장치혁
**기획** BC카드 **편집** 김춘길 **디자인** 표지 본문 twoes

**펴낸곳** 클라우드나인 **출판등록** 2013년 12월 12일(제2013-101호)
**주소** 우) 121-837 서울시 마포구 와우산로 29가길 54-10(서교동)
**전화** 02-332-8939 **팩스** 02-6008-8938
**이메일** c9book@naver.com

**값** 16,000원
**ISBN** 979-11-951801-1-0 13320



* 클라우드나인에서는 독자여러분의 원고를 기다리고 있습니다.
출간을 원하는 분은 원고를 bookmuseum@naver.com으로 보내주세요.

* 클라우드나인은 구름 중 가장 높은 구름인 9번 구름을 뜻합니다. 새들이 깃털로 하늘을 나는 것처럼 인간은 깃펜으로 쓴 글자에 의해 천상에 오를 것입니다.